Людмила ПЕТРУШЕВСКАЯ

рассказы о любви

WEST HARTFORD
PUBLIC LIBRARY
2645

ИЗДАТЕЛЬСТВО
Астрель
МОСКВА

УДК 821.161.1
ББК 84 (2Рос = Рус) 6
П 31

Дизайн обложки: *Юлия Межова*

В настоящем издании сохранена авторская пунктуация

Издательство выражает благодарность
литературному агентству «Goumen & Smirnova»
за содействие в приобретении прав

© Людмила Петрушевская, 2010
© Сергей Козиенко, фото, 2010
© ООО «Издательство Астрель», 2010
© ООО «Астрель-СПб», оригинал-макет, 2010

Богиня Парка

Есть люди, которых не хотят. Никто не хочет. Вот это дело, как таким выжить.

Собственно говоря, не бывает так, что не хотят все и повсюду,— просто надо найти тот пункт, где есть человек, который не то чтобы хочет с тобой водиться, но он вообще ни о чем пока что не подозревает. Допустим, новый человек. И как-то оказывается, что около него можно угнездиться, можно что-то построить, как-то быть.

И уж если такой покладистый человек найден, то всё, дело сделано, ради него и будет нелюбимый жить и землю рыть, чтобы никто не выгнал.

Вот и угнездился такой нелюбимый, звать его было А. А., он появляется в нашем рассказе в дешевом камуфляжном костюме и в не особенно молодом возрасте, откуда-то приехал, откуда его достала судьбина, из близлежащей провинции учитель (нелюбимый учитель).

Куда он приехал?

Это и есть история знакомства.

Он приехал отдыхать за город (жил неподалеку) и оказался в деревне, куда однажды тоже завеялась одна заполошная московская тетка.

То есть он-то, А. А., как раз и снимал верандочку в избушке у родни этой тетки, так сказать, летнюю дачу, тут тебе пруд, тут тебе лесок наискосок, вечером тихо и хорошо, комары, но он света не зажигает, тихо живет себе человек, уходит спозаранку с рюкзаком на целый день, сам в камуфляже, на ногах старые кеды. В рюкзаке непонятное. Уходит на день, где-то шляется, что-то ест (а у него на верандочке даже элекроплитки нет, и света учитель не жжет вообще, лампочку вывернул и хозяйке отдал. Бреется врукопашную).

Экономит?

Ничего не просит и вежливо отказывается, даже если хозяйка приносит на щербатом блюдце лишний вчерашний пирожок (сегодня опять пекут): нет, спасибо.

— Да что же вы едите-то? — в шутливой досаде восклицает хозяйка, у которой раньше на уме было кормить учителя и брать с него за это или, если не выгорит, тогда за электроплитку. Но он специально даже предупредил, что пользоваться электричеством не будет, дни длинные.

Дни ему длинные, видали? Специально подгадал от жадности.

Ох и не полюбила его хозяйка!

На вопросы он отвечает не сразу, и отвечает так, что больше спрашивать не захочется: «А какая, собственно, разница»,— вопросом на вопрос.

Даже невежливо.

Но на каждую хитрую гайку найдется свой болт, и приехала эта тетка из Москвы, развеселая, деловая-деловая, далекая двоюродная жена брата разведенного мужа что ли хозяйки.

Но эта тетка издавна на две летние недели привыкла заезжать сюда, на полотпуска, любила, видите ли, среднюю русскую возвышенность, варила варенье, солила-мариновала что под руку попало, чуть ли не крыжовник! Уезжала с хорошим грузовичком банок-пакетов-мешочков.

И кипела, кипела у нее работа в саду возле сарая в тенечке и под навесом, а там, в сарае, она и жила бесплатно, еще года три назад где доски подбила-подколотила, где перегородку поставила, и однажды даже пришла радостная с какой-то предыдущей дверочкой от хлева, на которой было написано известкой «коза».

Чужеродная соседка, которая нанимала мужиков порушить старый двор, видно, и отдала ей дверочку специально назло, чтобы москвичка не снимала угол во вражеской избе, не приносила доходов!

Причем на дверочке все было как полагается, две петли, щеколда, даже замок имелся, тоже прежний.

И выделила себе москвичка в сарае как бы комнатушку, чтобы жить бесплатно.

Свет, правда, у ней был, и телевизорчик работал, и холодильник небольшой имелся. И она платила за электроэнергию по своему счетчику, который аккуратно и оставляла вместе со всем скарбом у хозяйки в хламовнице.

Так что именно хозяйке-сродственнице ничего не перепадало, одни хлопоты.

Правда, внуки хозяйки, Машенька и Юра, все ж таки ездили к тете Алевтине в Москву на зимние каникулы, как же, Кремль повидали.

А в своей сарайной комнатке тетя Аля навела красоту, обойками обклеила, на крыше все позалатала, занавесочку повесила на ту дырку со стеклышком, которая заменяла окно. Даже какие-то нары ей сделали, на них мешок с сеном, ура! Сельская жизнь.

У хозяйки поместья, правда, масса претензий, жалоб на здоровье и на бедность, язык так и работает. Но все это не по адресу, Алевтина не желает поддерживать такой унылый разговор.

Вечерком она затевает самовар на еловых шишках вскипяченный, и хозяйка со смехом, дуя на воду (московская карамель за щекой), сплетничает Алевтине:

— У меня жилец неженатый. Жад-ный!

— О.

— Да. Неженатый холостой учитель. Тридцать пять лет.

— У! (Смех.)

— Ни копеечки не хочет потратить, утром мешок за спину и ушел, а вечером явится, вымоется из ведра и спать.

— Ну!

— Что ест? Крошки хлеба на веранде нет.

— В столовую ездит?

— Нет. Ну не знаю. В столовую не наездишься, автобус всегда битком набитый с лишним... и у нас то и дело мимо проезжает, не останавливается.

— Бывает, да.

— Так что где он только шастает?

Москвичка вопросительно хохочет.

Да, приехала она только днем, только разгреблась, расставила всё, расстелила.

Завтра будем решать все вопросы.

— Смородину брать будешь?

— А сладкая?

— Седни сладкая уродилась,— поет в беспокойстве хозяйка,— дождей мало было. Поливала я ее.

— А крупная?

— Похваля продать,— раздражается хозяйка,— а хуля купить.

— Да где же я хулила? — смеется тетка Алевтина.

Хозяйка подозревает у нее большие богатства там, в Москве (дети говорили), и тоже начинает хвастать собою, причем тут же похвальба неудержимо перетекает в горькие жалобы — какие две трехкомнатные квартиры она уступила дочерям, когда собственный дом в городе у нее ломали, а сама сидит зимой в однушке, и что у старшей муж капитан милиции, а у другой вообще пожарник на заводе, сутки спит на работе, двое спит дома.

— И покрыть крышу не допросишься, смотрит сериалы не оторвешь его. Буду нанимать. А детей на лето ко мне! Три раза в день баба кушать! Всё я, всё я (и т. д.).

Обычные разговоры хозяек, героинь труда и ненаписанных комедий. Самовосхваление в форме справедливого гнева.

Тем временем постоялец, тень в пыльном камуфляжном обмундировании с горбом за спиной, бесшумно открыл калитку (Тишка затявкал), пробрался по дорожке к дому, да и шмыг на свою верандочку и там закопошился. Вышел с ведрами, что-то буркнул издали и двинул по воду. Вернулся, помылся под рукомойником до пояса.

Такая вот мирная картина.

Две Пенелопы дуют чай и смотрят на вернувшегося из странствий человека, который сам себе льет на спину.

— Алексейч,— величаво, но не без трусости восклицает хозяйка,— падалицы вон сколь яблок нападало, у меня кости ноют подбирать, наклади себе.

— Простите? — фыркая, как конь в овсе, отвечает постоялец.

Хозяйка машет рукой и почти открыто сообщает тетке Алевтине:

— Нелюбимой он какой-то, Валентина (она не может, видимо, воспроизвести слово «нелюдимый». И «Алевтина» у нее не получается).

Новый Одиссей убирается к себе.

Тетка Алевтина же похохатывает довольно. Причем совершенно некстати. Смех у нее низкий, трубный. Несущийся в сторону терраски.

Но там тихо, темно. Ничто не шебуршнется.

— Чуден Днепр при тихой погоде,— ни к селу ни к городу замечает тетка Алевтина и опять изрыгает свой утробный хохот.

Как бы намекая на профессию учителя.

Хозяйка тем временем талдычит свое:

— Тридцать пять лет ему, и никого.

— В смысле?

— Что же человек гуляет. Добро пропадает. Вхолостую живя.

— Какое... добро? — хохочет московская тетка, уже давно сама напряженно размышлявшая на эту тему.

У тетки Алевтины много-много есть на примете девочек и женщин, тоскующих в перенаселенной Москве, но не для них, не для девушек, перенаселенной. Для них-то Москва безлюдная пустыня с волками. Утром на работу, вечером с работы в опасениях, на выходные надо куда-то сходить в гости или с подругой по магазинам, тоска.

А тут вот он, здоровый. При всем своем организме, не кривой не хромой, не заика, не псих, наверное.

Как это он ловко ответил «простите», чтобы ничего не отвечать. И пресек ненужный разговор.

А яблок-падалицы полно по окрестным брошенным деревням, вон сколько вокруг тоже вхолостую стоящих, одичавших садов с малиной, смородиной мелкой, сливами, дикими грушами!

— Он не в Комаровку ли бегает? — вопрошает задумчивая Алевтина.

— Хер яво знает,— зевает хозяйка.

— Ну иди, я чашки помою.

— И то пойду, Валь. Ребята поздно прибегут. У меня аллергия на солнце, я в четыре встаю, я така мочунья,— важно заявляет страдалица и уползает к себе на ведро. Из приоткрытого окна слышен далекий звон струи, как в подойник.

Попили чайку, так сказать. Так-то хозяйка поднимает юбку под деревьями, считая это полезным для сада, но когда тут вечером постояльцев полон двор!

Частые звезды проклевываются на небесах, проступают как знаки судьбы, создают рисунок будущего.

Тетка Алевтина вздыхает, глядя в сторону ушедшего заката.

Нина, вот кто ему подойдет, нелюдимая тоже, фармацевт в аптеке, ее мать недавно умерла, Нина. Ей тридцать семь лет. Однокомнатная квартира в далеком каком-то Дегунино, на краю Москвы. Как они там уживались? Мать спроваживала редких женихов вон. А куда их всунуть было? Тихая Нина, глаза водянистые, большие как буркалы, молчит (на работе готовит микстуры и мазилки и тоже, наверно, молчит).

Ее мать была тоже дальней родней Алевтининого бывшего мужа. Их там родни было как песку. Сага о Форсайтах, клянусь. Все перли в Москву, женились, выдавали замуж дочерей. Невесты, невесты. Свадьбы, обиды.

Прекрасно, думает тетка Алевтина, как думала бы древняя богиня Парка, плетя нити человеческих судеб — и так и сяк их перекрещивая и связывая будущими детьми.

Та тонкая нить судьбы, на которой привязана была эта лупоглазая корова Нина, вдруг затрепетала, забренчала и натянулась золотым лучом, как от небольшого маломощного прожектора, шарящего в глухой тьме.

Что же, другая нить судьбы пока еще провисала как ленивая веревка между лодкой и причалом на берегу.

Но луч сверкнул, шаря и пронзая тьму, заволновалась вода, лодка тяжело заворочалась, плеснула туда-сюда, отошла от мостков — и нате, веревка тоже натянулась и запела. И тут же луч прожектора полоснул по ней, зажег нестерпимым золотом эту мокрую невзрачную бечеву. Она загорелась, распушилась, показала каждую свою ворсинку, как на хорошей художественной фотографии в каком-нибудь лаковом журнале.

Тетка Алевтина затаилась и ждала.

Будущий ребенок тоже затаился там, в прозреваемом далеке.

Тихо было во дворе и в мире, громоздились полные ягод кусты, стояли стеной старые яблони. Сладко пахли вечерние флоксы и табаки.

И тут тень А. А. мигом просквозила сквозь мглу в сторону сортира. Ни скрипа, ни стука не послышалось при этом. Не прошелестела задетая на ходу штанина. Как он так мог дунуть?

Это понравилось старой Алевтине.

Она продолжала выжидать и среагировала на возвращение смутной тени из ада деревенского сортира следующим воплем:

— Доброй ночи!

(Как «руки вверх!», между прочим.)

— Доброй,— растерявшись, ответила тень и на секунду застыла.

— Вы что же как поступаете? — сухо спросила Алевтина.

— Простите?

— Ну так я и знала. Ну вы подумайте! И как же теперь быть? — спросила тетка Алевтина.— И не просите прощения, не прощаю. Никаких ваших «простите».

А он опять чуть не вякнул свое слово-выручалочку, свое «простите», которым прерывал все бабские вопросы.

И А. А. замер на полушаге, как замирает петух, втянув, отшатнувшись, головенку и занеся лапу — но еще не ступив ею.

— Вы сколько должны-то? — строго, даже недоброжелательно продолжала Алевтина.

По силуэту было видно, что петух обомлел,— видимо, А. А. подумал, что тетка обозналась, приняла его за кого-то другого.

— Кто? — брякнул этот половозрелый самец и влип, потому что на самом деле ему надо было бежать на верандочку, накинуть дверной крючок и мигом на топчан, мигом! И с головой одеялом накрыться!

А он как дурак остановился и спросил это свое «кто».

Может быть, у него была совесть где-то там нечиста, что-то он наделал в родных местах и теперь боялся погони?

Испугался мужик, испугался.

Алевтина тихо сказала:

— Я не буду орать на всю деревню.

Петух подумал, протянул лапу в пятнистой штанине и с грохотом поставил ее впереди себя. То есть сделал первый шаг навстречу своей судьбе. Потом поднял вторую жилистую ножку и занес ее над землей в намерении сделать следующий шаг. Сердце петуха сильно билось.

Но он неуклонно ступал и ступал вперед, гремя доспехами, тряся сережками и качая тряпочкой красной бороды. Глаза его в сухих оранжевых ободках торчали как блестящие пуговки. Гребень налился клюквенным соком и тяжело нависал. Полная картина!

«В суп, в суп зовут»,— билось в петушиной голове неоформленное сознание, однако мозолистые, набитые в бегах лапы вращали суставами, как паровозные рычаги, делали обороты, и А. А. приближался к дощатому столику с самоваром, за которым сидела грузная старая Алевтина в прическе типа «полубокс», сделанной ради летних работ.

В сумерках как-то скрадывались ее женские черты, два мешка впереди, грудь и брюхо, сливались в одно монументальное целое с крутыми плечами, и выглядела Алевтина как какой-нибудь римский император с чубчиком на лоб. Суровый, тонкий рот и выдающийся нос все отчетливей проступали в полумраке.

Тетка Алевтина повела себя как начальство.

— Ну, что вы можете сказать в оправдание?

Петух даже крякнул и неожиданно охотно заклокотал, что ничего не должен, электричества вообще не жжет, ведра мои, а вот вода из колодца как решить проблему? Хотя хозяйка почему-то говорит, что рыли его вскладчину и она лично взнесла 350 тогдашних когдатошних рублей! Но только, так сказать, за себя, а не за своих дачников, чем ей и угрожают якобы, спрашивают вроде бы, по какому праву в сухое лето колодец весь к вечеру растасканный? А ведь я беру не для полива, а только 20 литров в сутки, в то время как другие по 200!

— Это мы решим,— отвечала тетка Алевтина.— Это дело решаемое. Не сунутся. Как величать вас?

— В смысле? — выдал домашнюю заготовку А. А. У него их было несколько. Он тренирован был на учениках не отвечать сразу. Вообще не отвечать на вопросы.

— Ну Андрей?

— Предположим.

— Андрей Алексеевич, чаю без заварки и сахара выпьешь? Все равно выливать кипяток буду.

— Нет — спасибо,— отвечал петух задиристо.—
Я Александрович.

Так и заварилась эта безумная, несусветная каша,
куда А. А. попал и увяз там — осмотрительный,
осторожный, закаленный, боевой и злобный, всегда
неудержимо и неуклонно попадающий в суп петух.

А дело происходило в золотейшее время, в самую
сердцевину лета, был конец июля — начало августа.
Когда плодам уже нужно зреть и падать.

В августе тетка Алевтина отбыла, нанявши микроавтобус, в Москву, уместившись среди банок, мешков и пакетов. Все это дело грузил ей А. А., а местный
водитель хмуро смотрел от переднего колеса и не помогал, так как не было уговора на погрузочные работы (мужики этой деревни и всех окрестных поселе-
ний профессионально пили и не нанимались ни к
кому из дачников работать, ничего не делали, боясь
продешевить по сравнению с ценами в Москве, о которых ходили умопомрачительные, волнующие слухи. Мужики сидели на этих слухах, как скупые рыца-
ри на мешках с золотом, зная свои возможности и
торжествующе не шевеля пальцем).

Хозяйка наблюдала из окна эвакуацию и тоже не
шевелилась. Пущай сами волокут.

Затем она вдруг всколыхнулась — учитель взял
два рюкзака с веранды, две здоровенные брезентовые
сумки, отволок их в машину, сказал: «Спасибо — до
свидания» (хозяйка в ответ только моргнула) и, дверь
на терраску за собой не закрывши как надо, сел туда
же, в микроавтобус, к мешкам.

Собственно, хозяйка именно о таком зяте мечтала
бы для своей бы дочери, чем этот пожарник.

Алевтина же, находясь на переднем сиденье лицом к А. А. в тесном пространстве микроавтобуса и глядя, как тот мирно покоится, заботливо глядя на свои, в свою очередь, мешки, думала о том же самом: что такого бы мужа собственной дочери, если бы она была, а вместо того имелся пьющий сын и холера невестка, а вот внучок и был настоящим любимым сыном Алевтины, но в данное время он проходил тяжелый возрастной кризис (14 лет), ни на что не соглашался, хрипел, курил, глаза имел не в фокусе, дикие, врастопыр, был явно опозорен прыщами и с бабкой не разговаривал даже по телефону, а только сопел. Даже «здравствуй» от него было не дождаться. Только «але». Для него-то Алевтина и делала запасы варенья и всего остального. Внук любил поесть бабиного. За это приходилось кормить и невестку, поскольку собственный сын, наоборот, ничего не ел, щипал у пирога корочку, а норовил выпить всю наливку. Ела же невестка да похваливала, молола своими жерновами, наша невестка все стрескат, убить ее мало. Курит, пьет как слесарь, да поворовывает. Как бы все равно нам достанется, так чего же вашей смерти ждать! Серебряную ложечку унесла, больше некому. В документах явно рылась. Намекала, «мы должны с вами поговорить о будущем». Потом поговорим.

Так А. А. в компании банок, мешков и пакетов въехал в тихую отпускную августовскую столицу на закате золотого дня, в безлюдное воскресенье.

Машина катила по широким красивым улицам предместья Подушкино, затем свернула во двор, тоже красивый как парк, и все богатства Алевтины посредством лифта были доставлены в ее хорошую двухкомнатную квартиру, где имелась стенка во всю стенку, диван под ковром, хрустальная люстра и все что сердцу надо.

Попозже ночью он уже сидел в обратном поезде и мечтал.

Он мечтал о просторной собственной квартире в таком же микрорайоне как у Алевтины, о хорошей жене, похожей на одну киноактрису, о сыне, тихом ученом ребенке, которому можно вложить в память всю сумму отцовских мыслей. О том, что больше не надо будет ходить на работу в эту школу, где дети массово лузгают семечки даже на уроке, причем норовят сидеть в наушниках.

(Так все и произошло, но много лет спустя.)

С Ниной он познакомился, будучи приглашен на день рождения Алевтины.

Видимо, об эту пору Алевтина поссорилась окончательно с невесткой, поскольку никого из семьи на празднике не было.

А. А. купил билеты туда и обратно на деньги, которые ему прислала Алевтина, и выгадал аж три дня — поменялся с кем мог. Сказал, что тетя заболела.

Нина ничем не поразила А. А.

Неказистая немолодая девушка, глаза водянистые, большие, сама полная, молчит и стесняется. Щурится, но иногда таращится.

Правда, про самого А. А. мать его тоже говорила: «Че глаза-то вытараскал?»

Поэтому он еще раньше выработал привычку щуриться и теперь понимал Нину как никто. Видел насквозь. Даже усмехался.

Короче, Нина совсем ему не понравилась, однако по тому, как Алевтина обращалась к Нине, с каким уважением, можно было составить мнение о Нине как о человеке и специалисте. (Алевтина в самом начале праздника вытащила какие-то ветхие рецепты и дала Нине, Нина их взяла неохотно и равнодушно, как большой специалист.)

Это поразило А. А.

В следующий раз они встретились в больнице, где Алевтина и умерла через месяц. Все это время Нина за ней ухаживала, возила ей соки и бульоны, всякие перетертые котлетки. Это выяснилось потом, когда А. А. женился на Нине.

А. А. приехал за свой счет на одно воскресенье, это был для него, небогатого, подвиг. Он повидал свою дорогую Алевтину, она с ним торжественно поговорила, хотя и с трудом, и дала ему денег, довольно много, со словами «купи себе книг каких хочешь». При том она мужественно ничего не добавила типа «будешь меня вспоминать». А. А. не плакал, но в этот момент, видимо, сидел вытаращившись, потому что Нина взглянула на него с невыразимой добротой и участием. А. А. тут же сощурился.

Нина же дала ему последнюю телеграмму, и он приехал прямо в морг, тут же с поезда, поезд еще и опоздал, проклятый, и А. А. мчался по метро как буря. Дорогу знал, ведь уже был разок в больнице. Топографическая память у него, слава богу, блестящая. Но вышел не в ту сторону. Ничего не узнавал. На улице впопыхах опрашивал московских, ему показали дорогу.

Какая-то женщина с собакой в безлюдном месте (все-таки заблудился) сердобольно, подробно указала путь к моргу. Видимо, сама знала не понаслышке, перестрадала этот адрес.

Ужасные были места, глухие.

Нашел больницу, нашел морг, кучками стояли неизвестные люди, он спросил, где такую-то хоронят, ему ответили с диким любопытством. Нашел Нину, присоединился, кивнул. Она кивнула. Все на него откровенно смотрели, пялились.

Все это время он простоял рядом с ней. Потом его попросили помочь нести гроб. Поехали на автобусе в крематорий, опять он в числе четверых мужчин нес гроб. Стал как бы своим.

Все там до конца рядом с Ниной вытерпел. Нина не плакала, а только дрожала.

У Алевтины Николаевны было какое-то очень молодое и спокойное лицо, похудела сильно. Ее накрыли крышкой, забили гвоздиками.

Из крематория поехали опять на том же автобусе в город. Где-то всех высадили. Небольшая орава помятой родни образовалась на тротуаре. Какой-то пьяненький сказал: «Просим помянуть всех родных и близких» (но на А. А. специально не взглянул. Они вообще его избегали. Как все и всегда).

— А кто это,— вдруг произнесла женщина, тоже пьяная.

— А им выпить надо, вот они и присуседиваются,— отвечала бабка.

Толстый сын Алевтины Виктор покинул свою тощую жену Марину и подобрался к Нине.

— Ну как ты? Как в смысле жизнь? Замуж не вышла? — (Произошла некоторая заминка.) — Все одна да одна? — (Хохотнул.) — Пойдем к нам, мы тебя покормим. Выпьешь с нами. На все праздники приходи. А то будешь сидеть как собака одна. С сестрами не контачишь?

Нина ответила:

— Спасибо на добром слове.

— А это кто? (Он так небрежно кивнул на А. А., как будто тот был далеко и не слышал.)

— Это наш друг,— сказала, помолчав, Нина.

— Все ясно,— неуместно весело для таких обстоятельств отвечал Виктор и вдруг как бы в сторону добавил: — Квартиру на меня запиши. А то ты одинокая, возраст уже... Знаешь, разный народ бывает иногородние. Убьют.

— Правда? — удивилась Нина.— У меня же сестры.

— Так муж будет наследник! Убьет и унаследует!

Тут Виктор поглядел на свою тощую Марину, которая смотрела на него пьяно и выразительно, как на идиота.

Вдруг А. А. подал голос (с учительской интонацией):

— Нина, мы опаздываем.

Нина почему-то оглянулась, опустила голову, поворотила оглобли, фигурально выражаясь, и пошла прочь.

Виктор остался стоять со словами «А помянуть?».

А. А., делать нечего, бросился следом за Ниной. Надо было спросить ее как идти до метро. Да она ведь точно пойдет на метро.

Билет у него был на ночной поезд.

При всем прочем надо сказать, что А. А. был исключительно трусливый и стеснительный мужчина.

На его уроках поэтому творилось полное безобразие, допризывники пулялись пережеванными бумажками, стоял шум как на вокзале.

Таким образом, А. А. пошел следом за Ниной — как-нибудь она доведет его до чего-нибудь. Спросить что-либо он побоялся.

Полная фигура его будущей жены двигалась машинально, автоматически. При поникшей голове вполне можно было представить ее в виде ожившей статуи скорби и обиды, если сделать скульптуру на шарнирах и с мотором.

Даже какое-то нечеловеческое величие угадывалось в этой немолодой девушке.

Оскорбление иногда придает человеку силы, как бывало с А. А. после бесед в кабинете директорши.

И здесь произошло следующее: на тротуар перед А. А. въехал грузовичок и загородил собой всю перспективу. Тут же его начали разгружать с кормы какие-то люди.

А. А. кинулся в обход, а другие навстречу ему тоже кинулись в обход, москвичи же, все как один рвутся вперед, колотырный народ, и не дали быстро пройти.

Когда он оказался по ту сторону полосы препятствий, Нины уже не было.

Ни адреса у него, ни фамилии. Алевтина всё, спустилась, уехала вниз.

Сколько она рассказывала про Нину, про ее жизнь, что Нина как святая. Никогда ни слова матери поперек. Две других дочери бросили старуху,

рассорились с ней, а Нина так с ней до конца и просидела. И не видела никакой жизни. Ни в кино, ни к
знакомым. Самоотверженность.

А. А. мудро внутренне улыбался в ответ на такие
рассказы. Сватовство майора!

И понимал, зачем Алевтина его вызвала в Москву, к себе в больницу. Затем и вызвала.

Он спросил где метро и шел автоматически.
Сердце его ныло. Чувствовалась полнейшая пустота во всем теле. Как будто что-то вынули изнутри. Какое-то наполнение. Он раньше сопротивлялся Нине, а тут стало некому. Оставили жить без
смысла.

До поезда десять часов.

Голодный, замерзший, с невыплаканными слезами, на ледяном ветру.

Так и остался один.

Перед метро он остановился, огляделся.

Повернул назад, побегал вокруг.

Добрался до того киоска, в который все еще разгружали товары с грузовичка.

Прошло несколько минут, и прошла жизнь.

Надо было идти в метро.

И тут он увидел Нину! Она быстро двигалась навстречу ему и плакала! Смотрела на него во все свои
огромные глаза! Она тоже искала его!

Как они кинулись друг к другу!

Он чуть ее не поцеловал, как после долгой разлуки, но тут же крепко взял ее под руку со словами «ну
где ты ходишь, ну как так можно, успокойся», и он
взял у нее из этой бесчувственной руки ее сумку, как
делают все мужья.

Бессильные руки

Действующие лица свадьбы были, во-первых, жених и невеста, оба прекрасные и оба с предысторией, с предысторией были и все остальные: мама невесты, душераздирающая биография, второй раз замужем, трое детей, ее муж, отчим невесты, жизнеописание то же самое, но четвертый брак и пятеро детей.

Далее гости: бывший дипломат (у жены второй брак), разноплеменная пара (у нее третий брак, трое детей, она русская, он местный, иностранец, его анамнез неизвестен, пока только все в курсе, что он увлечен особым боксом, борьба руками и ногами — «Ноги тоже в перчатках?» — вопрос присутствующих. — «Нет, в ботиночках»,— отвечает за немого жена, вопрос задан по-русски). Это русская свадьба в далеком зарубежье:

— Ботиночком-то ряпнешь, ой-ё-ёй!..

Ее муж по виду типичный местный: рыльце как у хрюшки, белесый, маленький, полненький, а жена его пребывает в постоянном словесном поиске (где радость, где молодость) и разочарована, то есть она в таком возрасте, когда человек вспоминает, что как-никак имеет право на ежедневный и достаточный секс.

У бывшего дипломата тоже вид погасший, тусклые глаза, а жена живая, подвижная, ищущая, глаза блестят, сухая, седая, веселая, породистая, хотя породистые обычно величественно помалкивают, а эта то и дело говорит, говорит. Такое впечатление, что намолчалась дома. Это единственная бездетная пара русских в своем домике, сосед у них новый, навсегда испуганный русский бандит, спрятавшийся под иностранным псевдонимом.

Ну и что, и с ним будем дружить как соседи. Здесь все в хороших отношениях. Терпят детские вопли на лужайке (лужайка у каждого своя) и вот это, теперешний громкий, пьяный свадебный хор гостей.

Правда, невидимый сосед сбоку все хлопает ставнями на втором этаже. Встает вопрос, а не пригласить ли его? Однако в этом случае придется говорить по-местному, на свадьбе кроме жениха все прекрасно знают этот язык. Но тогда какой смысл в русской свадьбе? Собрались на далекой чужбине зачем? Поговорить по-своему.

На столе икра красная и черная, дешевая и пересланная с оказией, семга и мясо, на десерт сыры: пиршество богов. Но уже все быстро наелись, здесь не принято много есть, все сухие, поджарые. Это не Америка.

Далее: на любой свадьбе вступают в силу чисто родовые, племенные нити, веревки, тянущиеся от предков и связующие разные поколения. Вот и тут: жених прибыл в чужую семью и должен влиться в вереницу отцов-производителей, без которых род немыслим. «Так как!!!» (значительно восклицают подвыпившим хором жены): «Для чего муж-то? Для чего он нужен-то?»

Это вечная песня свадеб, слегка непристойная тема предстоящей брачной ночи.

За пиршественным столом все знают взаимные истории, понимающе кивают друг другу, но не ворошат прошлое, не надо. Не трогайте прошлого! У всех распалась связь времен (что означает, разумеется, простую вещь — предательство бывших любимых). У всех трагические предыстории, не исключая и прекрасных новобрачных, то есть уже случились разводы, распады, измены и т. д.

При этом (о новобрачных): развод родителей для детей всегда трагедия и именно предательство. Но предательство родителей может выражаться еще и финансовым образом, то есть что они бросают своих отпрысков в трудную минуту, не поддерживают их, не кормят, не сочувствуют им.

И через это они прошли. Однако все выживают (кроме тех, кто погиб), и за свадебным столом сидят, можно сказать, именно выжившие после распада люди. Продукты расщепления семей.

Приходится даже думать, что времена вообще должны кончаться, что это их постоянное свойство, то и дело всему копец, крышка!

Цепь времен неизменно и неуклонно распадается, однако наступают новые и новые периоды, люди опять женятся, целуются, строят по кирпичику, карабкаются, кормят детей, затем разводятся (что дети воспринимают как предательство), женятся снова (еще какое предательство) и гонят детей от первого брака вон, и опять расчленяется связь времен так или эдак, так что эти дети угнездовываются где-то в другом месте: один уезжает к бабушке в Кишинев, остается там учиться петь, другая торжественно с проклятиями бежит из материнского дома к своему далекому и любимому отцу в другую державу, а там у этого папани уже третий брак и второй ребенок, и всем руководит мачеха, у которой не угнездишься.

Все идет и идет строительство, тащат соломинки, прутики, связывают своими волосиками, слепляют собственной слюной или еще чем попало, спермой, как-то оно должно продержаться, закрепиться, хоть поцелуями в локоть, в пальчики, в шею, это она, новобрачная жена, его целует, мы на свадьбе, она не отрывает от него взгляда, ежеминутно его теряет, он ее зовет Кунька, она его Мулява, и свадебные гости, женщины, по обычаю зорко вглядываются в его лицо, ищут там что-то, нечто необходимое, затем заключают единодушно: «Я бы тоже на нем женилась»,— о эти плотские, пошлые, невинные словесные утехи, платонические скабрезности тех, кого называют увядшими (но они только внешне увяли, свадебные женщины, а внутри себя они не знают возраста, ум их не стареет, до маразма и забывчивости далеко, стало быть, сознание ясное, свежее, зоркое на мелочи, но не сказать чтобы юное).

А вот юное сознание, в отличие от зрелого женского, ничего не понимает, что и видно на примере невесты: попросту инстинктивно, вроде муравья или травинки, это сознание тянется к пище, свету, теплу, к защите, задирает для совокупления что там имеется, пестик, тычинку, дырочку, ждет наслаждения, клонится под тяжестью плодика, а понятия о будущем никакого, предусмотрительности ни на грош, ничего, никого не щадит, совершает немыслимые по цене переговоры через океан, плачет по телефону матери, причем быстро просит ей перезвонить, жалуется, что денег нет, а сама клянет, обвиняет, требует, не кладет трубку, так что потом мать не в силах будет заплатить по счетам, и дочь заплачет, услышав очень скоро равнодушный голос автоответчика, и никто не поднимет трубки...

А вот уже история молодых: оба прошли через распад времен, одна любила одного, другой другую, эти другие покинули гнездо, оставив тех в одиночестве. И она рыдала, просила, жаловалась, а он не рыдал, не просил, ничего не говорил вслух, но тоже остался ни с чем. Их покинули.

И вдруг они посмотрели, оставшиеся, друг на друга и слетелись, слились воедино, нашли утешение хоть какое-то, два отщепенца, два прекрасных отброса, отринутые своими любимыми как падаль, покинутые.

Свадебный хор все примечает, как они цепляются друг за дружку («Посмотрите! Посмотрите только!»), но молодой муж как-то тоскует, явно уходит от гостей, уклоняется (что ли они ему немного осточертели?), и молодая жена его ищет по всему дому, выводит как доказательство опять и опять на лужайку, напоказ хору собравшихся, целует его руку, локоть, как уже было сказано, покрывает мелкими материнскими поцелуями свое, мужнее, ей теперь принадлежащее по праву, лицо. Он согласен, да. Он нежно окликает ее, Кунька, они одни в этом стане старых отребий, когда-то тоже выброшенных из гнезда; но, заметим, только такие и завоевывают пространство, вышибленные скитальцы, зацепляются за беседу в самолете, за приглашение, за диванчик, за одну ночевку, за химеру и ничто — и глядишь, и пустили ростки, родили деточек.

Это вопрос к женам, о деточках, и тут свадебный хор раскалывается на отдельно взятых певиц, идет ряд соло: где-то процветает в Японии, а то ли в Австралии упомянутое со слезой дитя жены дипломата, где-то поет в опере, щебечет у бабушки в Кишиневе первое дитя жены местного хрюшки с его китайским боксом, третья гостья тоже имеет взрослого выкидыша от первого брака, этот вообще живет на отшибе давно, выкинутый отчимом при помощи воздетой к потолку табуретки; типичная история.

Род, о род человеческий! Одного совокупления достаточно, и целая каша заваривается на долгие поколения вперед, рожденный плод опять же плодит подобных себе и так далее.

Определено женским кружком, что и нынешние молодожены тоже первые дети первого брака у своих родителей, покинувшие материнский кров (много лет после покинувших этот же кров своих отцов).

Путаница-перепутаница, но факт установлен: перед собравшимися протекает свадьба детей первых ошибочных браков, чада матерей, которые (матери) затем хорошо наконец вышли замуж и нарожали других детей. Вот теперь все понятно.

Свадьба выкидышей, детей слез, детей ужаса и горя, детей безнадежной любви, детей брошенных жен — вот что это такое. Да, одиночество и обида стояли у их колыбели, как выясняется.

Но и это еще не всё, посмотрите на невесту. Не загадка ли? Чудо красоты, идеальная фигура, ни грамма косметики, печальные глазки под кружевом ресниц как под вуалью, нежный носик и свежий очень пухлый розовый рот, хранящий в себе как бы ровный ряд очищенных миндальных орехов, то есть сияющие зубы, на вид почти прозрачные, как китайский драгоценный фарфор, молочное стекло. Мало сравнений для описания, что и говорить. И ее бросили?

Глаза взрослых стоят неподвижно, люди застывают, не в силах поверить в это совершенство и в такую судьбу.

Вот она сидит — нежная, сияющая улыбка вспыхивает ямочкой на щеке — и само это совершенство спрашивает: «Мантья,— (то есть мама) — где Мулява?»

Тетки дружно кричат, что никакие красавицы кино не сравнятся с Кунькой.

Теперь тот, кого она зовет «Мулява».

Мулява бродит по дому. Муляве не хочется ничего, он преодолевает себя. Глаза его не вспыхивают, нет. Тусклый цвет, полуживой взгляд. Потрепанный вид, несвежий нос, чуточку обрюзгшие щеки. Как бы сам себя стесняется. А он, между прочим, великий юный скрипач, пять международных премий, вундеркинд и сам сын вундеркинда.

Теперь история отца: его отец с детства не знал трудностей, играл знаменитый концерт Паганини спокойно, вырос красавцем, лукавым божком любви, пришел в консерваторию, а там обычная шутка: а кто же в консерватории не живет с мальчиками (вопрос) — а только женщины (ответ), но одна нашлась: не мать ему и не жена, а спасла его из рук другого виртуоза, взяла и вырастила из вундеркинда мужчину-скрипача, знаменитость, хотя и не великого ранга (каким был тот, великий, кто хотел его взять в постель и в ученики). Тот великий был одновременно великий грешник и вымаливал у Бога прощение, выпевая смычком молитвы, каждый раз вроде проклинал искусителя, искал спасения, рассказывал своими небольшими руками о горестях и глубине падения, о неразрешимости вопроса. Ты ли меня таким создал и покинул, Ты ли?

Этот, юный бог любви, грешил с бабами, искатель все новых ощущений. И в объятиях держал скрипку легко — в отличие от своего воздыхателя, который неутомимо спрашивал Создателя даже в самой простой вещи и не находил ответа, тяжело вопрошал, медлил возносясь и падал вниз каждым движением смычка. А тот, новенький, все забывался и возносился фонтанчиком легкой радости, в силу чего не особенно преуспел.

Но вот учитель из юного божка получился классный, он муштровал свое ясноглазое дитя с его почти пеленок (когда выпадало время между гастролями) и выучил, воспитал из него почти что нового тяжкого гения. Мулява, сын вундеркинда, играл с великими трудами. Простейшая вещь раздирала у него легкие. Руки бились в судорогах, иногда застывали до окаменения, до реальных спазмов, которые можно было снять только уколами.

То ли от того, что отец все время уезжал, затем вообще не вернулся, то ли все-таки грозная тень гения, несостоявшегося мужа и любовника отца, простерлась над ребенком от посторонней девушки — но дело было сделано.

Получив все возможные премии в детстве и отрочестве, мальчик перестал играть на самом пике славы.

И теперь невеста без места, вроде бы выпускница университета (впереди еще три года, если будет заплачено), и такой же безденежный жених, вступивший на путь преподавания (это тоже дорожка не хуже других), соединив свои судьбы, как будут пробиваться?

Вопрос хора к судьбе прервался — вдруг невеста по звонку, взявши трубку, растерялась, быстро поблагодарила и закончила разговор.

Хору было сказано: это звонил ее прежний любимый.

Результат: вдруг жених ушел опять, исчез. Почему: вдруг гостям всхотелось, чтобы музыкант им сыграл. Кунька же зачем-то похвасталась, что он и на рояле может как профессионал.

В гостиной действительно стоит рояль, но Мулява брезгливо обошел его за полтора метра по периметру и был таков.

Реплика в сторону свадебных теток: сейчас они придут, танцуйте! Живите своим кружком!

Хозяин дома, отчим Куньки, вдруг провозглашает, вещает прямым текстом: «Занавес закрывается, зрителей тошнит!»

Он переводчик и только что перевел эту пьесу, которую никто ему не оплатит, никакие зрители тут этого не вынесут. Он переводил, чтобы не сидеть без дела. А так они все живут на пособие по безработице.

Но тут зрители жадно смотрят, как печальны возвращенные к ним жених и невеста, как одиноки они в этом кружке потертых — но другого кружка родителям не собрать.

Молодые уже явно дичатся, таращатся, обижены этим пожилым русским сбродом, который почему-то явился на их свадьбу,— но если посмотреть, кто бы пришел, когда бы звали гостей они, новобрачные?

О. Это было бы нечто, этого данный дом бы не вынес.

Ведь каковы настоящие друзья молодых, кто их подлинный кружок? Это молодые деточки, свежие и близкие по духу жениху и особенно невесте, те, с кем хожено было в детский сад на далекой родине. Билингвы. Виртуозы многих языков, выросшие на удобрениях, каковыми стали приехавшие на чужбину их родители. Теперь-то этих детей, второе поколение, разбросало по всему миру, но они всегда начеку, всё знают обо всех и полны догадок, иронических домыслов, насмешливых реплик по поводу этой свадьбы, грозных предсказаний по телефону, и если предположить их присутствие, оно будет издевательски пьяным, панибратским и ухарским, давно бы облевали все постели, давно бы тут была полиция! Насмешка царь этих свадеб, и много гадких слов бы услышали двое молодых, да, эти так называемые дружки и подружки чем отличаются?

А вот чем (прекрасно знают свадебные тетки): они беспощадно крушат и разворовывают чужое счастье, ловят на приманку быстрого греха, уводят, заделывают детишек и бросают жен (как нас), им всё известно, все чужие сожительства, ошибки, все грехи, слабости, ущербы, коли они есть или будут у Куньки и у Мулявы, но уж эти-то воображаемые молодые гости назвали бы свадьбу ее настоящим именем.

Крушение, вот что это такое. Свадьба Анны Карениной и паровоза, вот что. И кто тут в какой роли, неясно.

Поэтому так мается Кунька, так ищет своего Муляву, целует его легкими поцелуями, жалеет и прижимает к себе, ибо уже родилось в ней материнство и пока что кружится над потерянной душой Мулявы. А Мулява безутешен, прижимается, ищет спасения, пытается радоваться, его благородное лицо меркнет, гаснет, растворяется в сумерках (гости танцуют на лужайке), горят свечи, а рядом небывалая красавица в простеньком розовом платье без украшений, она как принцесса, белые цветы на волосах, фата над плечами как крылья, и целует Мулявины бессильные руки, прося его начать жить.

Предостережение Аник

Маленькая группа жила в далеком месте, случайные товарищи в пансионате. Было их человек двадцать, не больше, и новые не прибавлялись: директриса так умело вела переписку, что набирала гостей ровно на месяц, чтобы все успели познакомиться, подружиться, образовать кружки, она это любила.

Сам дом, вернее старая усадьба-музей, принадлежал министерству культуры, и там, наверху, никто не вмешивался в деятельность дирекции. Важна была бухгалтерская отчетность и отсутствие скандалов.

В музей в такую глушь приезжали только обеспеченные, культурные посетители по выходным, а местные крестьяне, вышколенные за несколько веков, целыми семьями работали в парке, доме, в мастерских и теплицах, дорожили своими заработками и вели себя достаточно тихо в дальней деревне. Хотя все, конечно, случалось, пьяные монологи на закате у слесарни и оглушительная, на всю округу музыка с мордобоем в ночь на субботу-воскресенье. И дети назойливо лезли через забор поиграть в пинг-понг. И медсестры регулярно рожали детей с городской внешностью.

Но директриса была тут главным действующим лицом. От нее все зависело. Деревенские ее опасались.

Мало того, на летний отдых, на лучший отрезок времени, она набирала себе художников, писателей, композиторов — с тем, чтобы завязывались связи и на дальнейшее, с пользой для всех.

Приезжали и семейные, и одинокие. Затевались прогулки, беседы, выставки, концерты, чтения — что в результате приводило к тесному общению и т. д.

Не без того, что завязывались и романы.

И обязательно каждый раз приглашался фотограф — в данном случае это была рыжая молодая красотка Рина с неправдоподобно вишневыми губами, с золотыми ресницами, розовыми веками и абсолютно светлыми, сверкающими как капли ртути, глазами. При том, что привлекало внимание всех художников — у нее были совершенной формы ступни. Она часто ходила босая. А то напяливала грубые сандалии, которыми специально как бы уродовала нежные ножки с малиновыми пятками.

Так ведет себя подлинная молодость — прячет, юродствует, скрывает свои чудеса, хотя знает им цену и, вероятно, смотрит на себя в попадающиеся по пути зеркала с изумлением.

Красотка вела себя тихо-тихо, одевалась убого, как принято в богемных кругах, и прилежно вела дневник событий, запечатлевая их на слайд-фильмах, затем она снимала произведения художников, сделанные в мастерских, и на основе ее слайдов создавались макеты буклетов и каталогов всей той новомодной ерунды, которую потом со скрипом признавали новым словом в искусстве.

Никто из художников не помнил уже своего ремесла и не мог нарисовать, к примеру, ее дивное лицо или обнаженное тело. Не говоря уже о ступнях, как бы вылепленных из алебастра. На это существовали фотокамеры.

У Рины как раз и была супермодель фотоаппарата, японская камера, поскольку съемки произведений в данном пансионате должны были быть поставлены на профессиональную основу. Для того ее и выбрали среди многих претендентов (чтобы поехать в пансионат, надо было подавать письменное заявление и чуть ли не выдерживать конкурс).

Сама Рина тоже не снимала обнаженную натуру и своих прекрасных подруг и друзей — ее интересовала только старая школьная и конторская мебель пятидесятых годов двадцатого века. Эти убогие фанерные отродья на металлических ножках, созданные для бедных людей из коммунистического прошлого, почему-то занимали прекрасную Рину. Она искала эту мебель на почтах, в школах, даже помойках, в глухих провинциях. Она сочиняла композиции из этой мебели, ставила их так и эдак, а затем снимала свои любимые фанерные, хромые и кривые объекты как одушевленные создания.

Фотография стульев вдоль стола, гигантская фотография размером три метра на метр, типа фрески — образец ее творчества — висела в ее мастерской и выглядела настоящим шедевром. Стулья только что речи не произносили.

Она была настоящим современным художником.

Каждый из таких творцов должен был сделать свое открытие мира собственным оригинальным способом, и Рине это удалось.

Но вот с некоторых пор девушка-фотограф стала замечать на своих слайдах женскую фигуру — почти всегда она оказывалась на снимках спиной к объективу, иногда в полупрофиль. Видимо, это была красивая молодая женщина. Она обычно стояла, глядя туда же, куда глядели все — на картины, а то и на музыкантов, на лекторов.

Но ведь не было, не было такой женщины в доме! Даже отдаленно она не напоминала никого.

Рина могла бы подумать, что у нее галлюцинация, точнее, у ее камеры.

Но однажды, в очередной раз поймав на своем компьютере этот темный силуэт, фотохудожница пригласила в свою мастерскую директора, Дану, и спросила ее, кто это.

Дана пожала плечами и странным образом равнодушно сказала:

— Кто-то зашел, видимо, случайно.

— Нет, она у меня уже появлялась,— ответила Рина.

Дана не была расположена к долгим выяснениям, торопилась, и разговор был, видимо, отложен. Рина ведь хотела показать ей и все предыдущие слайды. Однако Дана покачала головой и исчезла. Ее тоже можно было понять: у каждого из гостей своя жизнь, и все имеют право на свои маленькие тайны. Кто-то к кому-то приезжает, видимо, и случайно может попасть в объектив.

В следующий раз темный силуэт появился на слайдах с концерта одного финского композитора, Харри. Харри поздно вечером показывал видеозапись фильма о своем друге, немецком безумце, певце и поэте, полуженщине Гансе. В зале было человек десять.

И опять чужая черная, неясная фигура стояла спиной к объективу у окна, как бы глядя в темное стекло. В стекле, однако, ничего не отражалось!

Этот удивительный, невероятный кадр нельзя было даже показать на выставке, никто бы не поверил, сказали бы, что это дешевый компьютерный монтаж с нарочито философским подтекстом.

Опять была призвана Дана.

Дана, пухлая пятидесятилетняя дамочка, которая во всех заездах выбирала себе любовников не стесняясь и поэтому уважала чужой блуд, опять воспротивилась:

— Вы знаете, это не наше дело. К отдыхающим мало ли кто приезжает...

Рина не стала указывать ей на то обстоятельство, что женская фигура не отразилась в стекле окна.

— Это дело каждого отдельно взятого человека,— капризно продолжала директриса.— Какая кому разница?

Рина, вместо того чтобы прекратить разговор после такого решительного заявления типа «не суй нос не в свое дело», сказала:

— Да не приезжает, а просто живет. Каждый раз приходит на все вечера. Могу вам показать!

Дана строптиво ответила:

— Почему же я ее не вижу?

— Вы всегда сидите впереди, а я довольно часто стою с камерой сзади.

— Ну хорошо, приму к сведению,— кивнула наконец Дана.— Правда, не знаю, зачем мне это. И вам в том числе!

Они договорились, что Рина будет внимательно смотреть на экран своей фотокамеры и, как только увидит неизвестную, то окликнет ее, чтобы та обернулась.

— А как я ее позову? «Алле» или как?

Дана помолчала, потом посмотрела куда-то в сторону и промолвила:

— Скажите «Аник». Просто «Аник».

Странные это были слова.

Рыжая Рина, когда в очередной раз снимала обитателей пансионата, живописно расположившихся в библиотеке музея (была лекция о прежних хозяевах, давно ушедших персонажах, знаменитых тем, что в их доме гостили великие люди),— так вот, Рина вдруг заметила крошечную черную тень на маленьком экране своего фотоаппарата.

Рина отвлеклась от изображения и стала до слез в глазах всматриваться в сторону окна. Никого там не было!

Она опять поглядела на экран. Тень виднелась, как легкий мазок кистью — фигурка стояла спиной к камере далеко сбоку, опять у окна, но чуть левее.

Рина проглотила комок в горле и громко сказала:

— Аник! Аник!

Все удивленно обернулись.

Только Дана сидела не шелохнувшись, как окаменела.

Рина улыбнулась всем, оторвавшись от фотоаппарата.

Когда она вернулась глазами к своему маленькому экрану, тени на нем уже не было.

И больше она не появлялась вообще.

Рина напечатала снимок, но на нем уже присутствовал не силуэт, а как бы легкий намек на какой-то сгусток, тень чьего-то резкого движения к стене.

Она пришла к Дане в офис и показала ей десять последних изображений.

Дана задумчиво смотрела на отпечатки, держа их своими пухлыми пальцами, заостренными к кончикам. Руки ее были похожи на лапки ящерицы: короткие, всегда оттопыренные в локтях.

— Ну и что? — тяжелым, неприязненным голосом спросила Дана.

— Кто это?

— Я не знаю.

— А вы же сказали имя «Аник»?

— Я подумала просто, что эта женщина со спины похожа на одну девушку, которую звали Аник. Она жила здесь года два назад. У меня хорошая память,— резко сказала Дана.— Короче, у этой Аник был здесь роман с человеком вдвое ее старше, с бельгийцем Полем, художником. Она сама композитор. Он очень ее полюбил. Когда они расставались, то оба плакали — но его дома ждала молодая жена и десятилетний сын. Он вернулся к себе в свой маленький город и через две недели умер. Аник звонила мне и очень хотела опять приехать сюда, жаловалась на тоску, на то, что не может жить как раньше. Но вы знаете, что второй раз сюда путевки не дают. Вернее, это очень дорого стоит. И потом (Дана усмехнулась нехорошей усмешкой), ведь не вернешься в ту жизнь! Вы понимаете? Каждый раз разлука навсегда. Только я как кошка, имею семь жизней...

— А она жива? — спросила рыжая Рина.

— Аник? Наверное,— уклончиво ответила Дана.— Она звонила два раза, и всё. Я ей ответила довольно прямо, сколько это стоит. Она больше не звонила.

— Мне кажется, она умерла,— тихо сказала Рина.

Дана пожала плечами и тут же, не извинившись, набрала какой-то номер и стала говорить явно с начальством. Ее тон резко изменился, в нем появились подобострастные нотки. Рина пошла вон.

Тут же она засела за работу, сделала серию отпечатков тени девушки, похожей на Аник. Рина собрала все те моменты, где присутствовала тень молодой женщины в черном, коротко стриженной, всегда в каком-то закрученном вокруг шеи тонком шарфике, один конец которого висел вдоль тела.

Через два дня Рина подумала и увеличила самый четкий из снимков. Ее великолепный фотоаппарат позволял ей это. Из дымки, из почти полного ничто появилось изображение шеи с шарфиком — шеи, в которую впилась петля...

Рина ничего не сказала Дане и довольно скоро уехала, бросив в самом разгаре свой пылкий роман с немолодым писателем, старше ее вдвое, которого она полюбила так, как никогда в жизни никого не любила. И никто так не любил ее, с такой невероятной нежностью и печалью, с таким обожанием, с такой мудростью. Какие слова он ей говорил!

Рина уехала тайно, рано-рано утром, на неделю раньше срока. Весь день не являлась в столовую. Не подходила к телефону. Не отзывалась на условный стук в дверь, на тихие вопросы. Ночью она ушла в мастерскую, до утра собиралась, плакала. В шесть утра села в машину и тронулась.

Предостережение, вот что это было.

Опасная последняя любовь, смертельно опасная для обеих сторон. Он мог погибнуть. И Рине пришлось бы погибнуть.

Аник предупредила.

Жила-была одна маленькая небогатая художница. Не удивляйтесь, почти все художники небогаты. Такая профессия!

Наша маленькая художница поэтому иногда делала декорации в театре, иногда разрисовывала книжки. А то плела браслеты или бусы. В общем, время от времени она зарабатывала себе на жизнь.

Но наш рассказ не об этом.

Когда-то, в ранней юности, эта художница вместе с родителями попала на отдых в крошечный приморский городок, который ютился на берегу моря, прилипнув к скале как завиток, как ракушка. Улочки поэтому у него закручивались по спирали и вели вверх, к вершине. Они были вымощены каменными плитами, которые за века стали гладкими и иногда сверкали как стеклянные.

Миллионы подошв оставили на них свои следы, а это даром не бывает!

Это знак того, что там, наверху, есть что-то очень важное.

И действительно, все улочки вели к огромному храму.

Данный храм был особенный: там хранилась древняя гробница юной девочки, христианки, которая не отказалась от своей веры и была замучена. В народе говорили, что потерявшиеся невесты, которые прикасались к этой гробнице, находили свою судьбу.

Так что за множество веков ладони бедных девушек загладили все уголки огромного каменного саркофага.

Потому что город Н. был городом единственной любви, так было сказано в старинных хрониках. Той любви, которая оставалась на всю жизнь у несчастных мальчиков и девочек.

Но об этом мало кто знал из приезжих. То была местная сказочка, для своих.

Наша художница, домашние звали ее Ая, тоже прикасалась впоследствии к этой священной гробнице, но толку было мало, любимый все ее не находил.

Они потеряли друг друга еще давно.

История началась в тот год, когда родители впервые привезли ее в эти места.

На второй день Ая шла поздно вечером по улице вверх, взбиралась домой, потому что ходила одна в кино: папа с мамой разрешали ей делать все что вздумается. Да она бы и не позволила никому распоряжаться своей судьбой.

Никому кроме одного человека.

Она встретила его той ранней ночью на улице. Он тоже шел совершенно один, он как будто бы потерялся и как будто бы кого-то искал, растерянный прохожий: так он выглядел.

На этом молодом человеке был белый легкий костюм.

Молодой человек шел, заложив руки за спину, отчаянно одинокий странник.

Ая вдруг до слез пожалела этого ночного незнакомца, настолько непохожего на всех окружающих парней, которые лениво ходили по городку в майках, шортах и шлепанцах или с треском, в дыму, протрясались мимо на мотороллерах.

Ая остановилась за уголком, чтобы тот странный прохожий не подумал, что за ним подсматривают, и ждала с бьющимся сердцем, когда затихнут его шаги.

Потом она тронулась в свой путь наверх, и вот тут, в одном из завитков-закоулков, на уходящей в сторону моря лестнице, она опять увидела человека в белом летнем костюме. Он стоял, прислонившись головой к стене, и снизу в упор смотрел на Аю.

От неожиданности она поздоровалась. Он тоже поздоровался. Потом он спросил, который час. Она сказала.

А затем уже она спросила его, почему он не посмотрит на собственные часы на своей собственной руке.

Он ответил, что эти часы давно стоят.

Так начался их разговор.

Они в это время уже шли вместе, взбираясь по выглаженным, светящимся под фонарями плитам. Они добрались до храма, потом стали спускаться серпантином улочек вниз, вниз, вниз.

У Аи кружилась голова от счастья. Всего-то ей было шестнадцать лет.

И теперь каждую ночь они гуляли вместе, и всего этих ночей было четыре.

На пятую Аю уже увезли.

Но увезли ее не одну. Весной у Аи родилась девочка, тихая и печальная, с огромными глазками, очень похожая на своего отца, того человека в белом.

А все дело в том, что Ая не успела сказать ему своего адреса, она не знала, что родители, всполошенные ее отсутствием каждую ночь, поменяли билеты на самолет с большими затратами, чтобы спасти свою девочку от этой бешеной любви.

Спасли, увезли, плакали, говорили, что дед умирает и просит приехать, он кричит, не сторожить же мне ее с ружьем! Он что-то заподозрил и звонил чуть ли не каждые полчаса.

Увозя Аю, родители твердили, что потом мы вернемся, скоро, очень скоро. Только успокоим деда, он же старенький, волнуется.

Правда и то, что дед кричал эти слова про ружье уже много лет — сначала по поводу своей жены, потом по поводу дочери и вот теперь по поводу внучки. Поскольку все они были, по его мнению, несравненные красавицы и их надо было охранять именно с оружием в руках.

Но дед действительно плохо себя чувствовал (вот уже десять лет) и не любил оставаться дома один.

Конечно, они больше не вернулись в тот городок у моря.

Как будто бы у семьи не нашлось больше денег снова туда ехать, да и снять жилье уже было невозможно — ту квартирку они заказали заранее, за полгода.

Так они объясняли — и рассчитывали, что девочка утешится, найдет себе мужа, и все пойдет как полагается.

Самое главное, что она даже не знала полного имени своего мужа — Ая так его называла, мой муж. Как будто бы его величали Микки, Мик.

Той зимой она удрала из дома, специально приезжала одна в этот городок, заняла денег у двоюродной тетки и по секрету поехала.

И ходила, ходила по скользким, залитым дождем камням, особенно в семь вечера и в семь утра. И прикасалась к гробу святой девочки Эуфимии, своей ровесницы, которой было столько же лет, когда она погибла.

Ая тоже подумывала, а не умереть ли — тут это произошло бы очень быстро, высокий берег, ночь, скалы, море.

Но потом она все-таки вернулась домой к своим почерневшим от горя родителям и взбалмошному дедушке, которые плакали целую неделю, ничего не зная о судьбе своей девочки.

Дед, кстати, перестал разговаривать с внучкой — на целых два часа.

А ведь она даже не нарисовала бы лица своего любимого, забыла его напрочь!

Все дело в том, что Ая стеснялась тогда смотреть на него, а точнее сказать, даже боялась, как будто ее могла ударить молния от одного взгляда на его лицо.

Единственное, что Ая запомнила, это были часы Микки. Они отличались строгой красотой, стрелки их были четкие, старинные, золотые, и что-то странное в них было. Что-то магическое, притягивающее взгляд. Может быть, то, что они стояли — раз и навсегда застыли на цифре семь.

Ая однажды спросила, почему он их не заводит, и Микки ответил, что на семь часов ему была предсказана одна очень важная встреча, одна на всю жизнь. И с тех пор он ждет.

Это была точно не их встреча, они-то столкнулись в одиннадцать вечера. Поэтому-то Микки и не придавал их свиданиям слишком большого значения, он ждал всегда своего часа, семи утра, и не ложился спать до этого времени. А Ая убегала от него еще в темноте, не дожидаясь семи утра и надеясь, что родители уже спят.

Но все это было и прошло, и то, что для семьи Аи было трагедией, для нее самой оказалось счастьем.

Она все-таки закончила школу, потом художественное училище, стала художницей, дочка ее росла на редкость спокойным ребенком, единственно что — она всегда как будто чего-то ждала, ее огромные светлые глаза, глаза отца, светились надеждой, хотя ей было-то всего десять лет.

Имеется в виду, что ей исполнилось десять лет той весной, время прошло быстро, как ему и свойственно.

И мать решилась и повезла ее в городок у моря, в тот городок, что прилепился к скале и завершался храмом, где спала вечным сном святая Эуфимия, покровительница всех потерянных невест мира.

Ая заранее сняла маленькую квартиру в тесном переулке, в старинном доме на первом этаже, там негде было развернуться, но она работала прямо на тротуаре, на плетеной табуреточке, и затем приставляла свои произведения к каменной стене противоположного дома, в двух метрах от своей двери.

Это была как бы ее постоянная витрина на улице.

Ая ничего не ждала, никаких прибылей, она приветливо улыбалась всем проходящим людям, как будто это были посетители ее собственной персональной выставки, и она спокойно оставляла свои художества без присмотра, когда уходила с дочкой в ближайшую пиццерию или погулять перед сном.

Единственно что — она ни разу не повела свою десятилетнюю девочку наверх, к святой Эуфимии.

Возможно, став взрослой, она теперь боялась для дочери такой же судьбы вечно ожидающей невесты — хотя судьба эта была не такая уж и плохая, ведь никто никого не покинул, не обманул, не предал.

Ая как-то доверяла жизни. И потому она так спокойно оставляла свои работы на улице, тем более что их никогда и никто не покупал.

Приехав в свой любимый городок, Ая забросила краски и кисти, вместо того она собирала по побережью выкинутые морем деревяшки, обрывки сетей, пузырьки и тряпки и все это приклеивала, а что и приколачивала гвоздями близко друг к другу, чтобы получилась какая-то общая пестрая картина, память о море.

Особенность ее жизни была в том, что Ая выходила на пляж ровно в семь утра, когда городишко еще спал после бурной курортной ночи.

Каждый день в семь утра она уже стояла на берегу и радовалась небу и волнам, а потом ходила, приседала, искала в камнях, собирала ночные подарки моря.

И вдруг однажды она краем глаза заметила среди камней какой-то яркий блеск.

Стеклышко?

Но морские стеклышки не блестят, они затерты волнами до шероховатости, они как бы уже обточены, и они безопасны. А тут блестящее стекло! Кто-нибудь может порезаться!

Ая подошла и наклонилась над ним.

Стеклышко лежало, полузарытое в мелкий ракушечный сор, и отчаянно сияло.

Ая осторожно извлекла его. Стекло было идеально круглым и выпуклым. Краешки его оказались гладко обработанными.

Ая подумала, что стеклышко ей что-то напоминает, что-то очень давнишнее... И что из него получится неплохая картинка...

Может быть, портрет часов?

Надо еще поискать, а вдруг (такая мысль вдруг ударила ей в голову) найдутся стрелки?

Они нашлись, эти золотые стрелки, обе, те самые, большая и маленькая (лежали как раз под стеклышком, утонув в песке). Ая стала рыться в мелких камнях, ища остальное, поранилась, но больше ничего не обнаружила. Солнце уже пекло вовсю, дочка наверняка проснулась. Надо было возвращаться.

Но Ая пробыла на море до вечера.

Она искала хоть какой-нибудь след — там же был циферблат, там должны ведь быть пружинки и звездочки...

Она перекопала пляж как бульдозер, и все оказалось зря.

Море вернуло ей память о Микки, он был где-то там, в волнах, совсем недавно, волны не успели затереть стекло часов, и стрелки не потускнели. Может быть, он утонул этой ночью...

Она не плакала, только очень похудела за этот день.

Однако, вернувшись домой к сердитой дочке (и не покормив ее), Ая тут же сделала свою лучшую работу — как обычно, она приклеила к деревянной дощечке несколько простых камешков, прядку сухих водорослей — и накрепко, мелким гвоздиком, прибила между ними две стрелки, указывающие на недостающем циферблате семь часов, а сверху, тоже с помощью крепчайшего клея, уместила стеклышко, сверкающее, как огромная слеза...

Ну что же, она оставила эту работу вместе с другими, у противоположной стены на улице, и отправилась ужинать со своей дочкой (зачем, непонятно, девочка весь день питалась чипсами, мороженым и кока-колой, а самой Ае есть не хотелось).

Когда они вернулись, последней работы не было. Кому-то она понравилась. Вместо нее под камушком лежал листок с телефоном.

Ая не стала звонить. Честный человек, взявший ее работу, видимо, хотел ей заплатить за тот пустяк лично.

Действительно, не оставлять же деньги на камнях в переулке! Кругом дети бегают.

(В этом городке воровали только дети, и только велосипеды. Покатавшись, они скидывали их в море. Один рыбак, как-то зацепившись крючком о что-то неподъемное, взволновался, сбегал за маской, нырнул с набережной и наконец увидел на дне чудовище с рогами и с двумя колесами! И он стал специализироваться на ловле велосипедов и за годы собрал их порядочную коллекцию, двадцать штук.)

Но вернемся к Ае.

Когда на следующее утро, ровно в семь часов, она пришла к морю, Микки там уже стоял.

При этом она его совершенно не узнала.

Но он смотрел на нее своими огромными светлыми глазами, какими обычно смотрела ее дочь.

Так вот какое у него, оказывается, лицо!

Она зажмурилась. Как будто яркий свет ударил ей прямо в зрачки. Сердце упало в пятки.

Как ни в чем не бывало, он обнял Аю, уткнулся носом в ее растрепавшуюся косу и сказал ей на ухо:

— Скажи, сейчас семь утра?

Она пришла в себя, засмеялась и ответила:

— Да. У тебя опять нет часов? На которых всегда семь?

— Ну вот же, оно и пришло, это время. Как мне и предсказывали. Не напрасно я оставил тут свои часы.

А она ему сказала:

— Я всегда считала, что ты призрак, что ты бог моря. Что на твое лицо невозможно смотреть.

При этом, разумеется, она глядела из-за его плеча в море.

— Ну, все не так просто,— отвечал он.— Мне же нагадали, что я встречу тебя в семь часов, а мы ведь тогда встретились в одиннадцать! И я не поверил.

— На твоих часах-то было всегда семь,— заметила Ая.

— А я и не подумал! — радостно ответил он.—
Молодой дурак был. Ну все равно. Теперь вот пред-
сказание сбылось!

— А тебе не предсказали, что нашей дочери исполнилось уже десять лет?

И тут он как окаменел, взрослый мужчина. Хорошо не заплакал. Ая знала, что многие холостяки боятся детей.

Он даже отстранился.

— Ты нас познакомишь? — наконец спросил он.

— Возможно,— с достоинством ответила Ая.—
Но сейчас я буду занята. У меня работа.

И он сидел на камнях, ожидая, пока она соберет
свои палочки, дощечки и шероховатые морские
стекла.

— Я уже несколько дней за тобой слежу,— вдруг
сказал он.— И я думал, что как жалко, что твоя дочка это не моя дочка. Я боялся встретить твоего мужа. Я разобрал свои старые часы и подложил стекло
и стрелки на твое постоянное место на пляже. И я в
первый раз за одиннадцать лет пришел на море в
семь утра. Я ведь давно уже ни во что не верю — с
молодости, с тех пор как ты пропала. Твой муж — ...

— Мой муж! — величаво произнесла маленькая
Ая.— Мой муж сидит на камне, пока я работаю тут.
А мог бы мне помочь. Вон ту корягу возьми?

Тем же вечером она отвела дочку наверх, к святой
Эуфимии. Девочка шла между матерью и отцом,
крепко держа их за руки. Она шла между мамой и
папой впервые в жизни и почти не спотыкалась.

Вверху, в храме, она сразу же подошла к саркофа-
гу и внезапно сделала то, что делали до нее верени-

цы невест многие столетия — она погладила огромный камень своей маленькой рукой. Откуда-то ей было все известно.

— Не рано ли? — спросил Микки. Он теперь панически боялся за дочь.

— Папа,— отвечала она,— папа, ты не знаешь, мама знает, папа, еще с первого класса за мной, папа, бегает один мальчик.

— Еще чего,— сказал Микки.— Что мне теперь, с ружьем вокруг нашего дома ходить?

И мама с дочкой от неожиданности засмеялись.

Почему его никто не хочет приглашать?

А кому хочется слушать такое в домофон: «После того как вы откажетесь от элементарной порядочности, все остальное пойдет уже легко, алле!»

Потому что он так настрадался, так иссох в одиночестве и безобразии (зубы выпали кроме одного, как у бабушки Яги) — что в любом доме, забыв обо всем на свете и мелькая этим своим единственным зубом в пасти (внизу), он буквально вопиет и прокламирует, говорит и говорит, пища брызжет изо рта и даже валится комьями.

Он говорит вещи важнейшие, умные и интересные, почерпнутые в ежедневном собеседовании (молчаливом) со старыми авторами, сидя по библиотекам, но все слушатели, буде он попал все же в гости, как-то смущаются и отводят глазки.

Того и гляди он плюнет в морду, причем невольно! Ибо ему и поесть хочется, и поговорить тоже надо срочно.

Он выражается так:

— Пожрать в кои-то веки кипяченого!

Он торопится. Плоды размышлений так и прыщут на слушателей.

— Для вас заперты двери желанной обители, цитата! — безо всякой связи возглашает он.— Как для меня, например.

То есть полон мыслями, не всегда открытыми для других, и так торопится, что не объясняет, некогда! Этому сидящему в уюте простому быдлу.

Еще бы, он в своих правах, он эрудит, год за годом он таскается в читалки-курилки, исследует материалы полноправно как все (когда у человека нет денег, у него есть время!), валит тома на свой стол, ищет-рыщет.

Собственно, он не просто так роется. Он составляет там что-то нечто, вроде библиографии какого-то забытого полуавтора, некоторый перечень его опубликованных трудов. (Плохо что нет компьютера нашкрябать.) Трудов у его героя мало, тем более, новооткрытых, они на вес золота. Попутно он роет всю историю взаимоотношений неведомого творца с его современниками, воссоздает и т. п.

А уж полемика, споры столетней свежести, факты и ответные фельетоны — это вообще целые романы при участии (промежду прочим) исторически прославленных блудниц и козлоногих друг с другом партнеров.

Он с этим будет иметь успех явно! Пара знаменитых имен, и всё, слушатели повесят свои уши на гвоздь внимания!

Он рассчитывает на помощь зарубежных фондов университетов. Это всеобщая легенда, такие фонды. Вроде божества с небес, деус экс махина.

Он, однако, пока только по библиотечным курилкам выступает, причем имеется некоторое неудобство — у него нету ничего своего, приходит с голыми губами, без папироски, и отсюда хихиканье, натужность в общении, как будто всеми своими речами он просто предваряет будущую как бы между делом просьбу. Можно позаимствовать вашу закурить, а то настолько есть нечего, что буквально остался без потолка над головой!

А говорит он общеизвестные парадоксы — симулянтами, вещает он, полны кладбища, и Бог не имеет отношения к религии, и единственное, к чему стремятся все политики, это переизбрание, сигаретку попрошу?

Такие же речи он носит и в гости, в очень редкие гости (не зовут, он сам приходит, буквально стоит у подъезда и беззубо, умильно просится в домофон, я тут пролетая над вашей территорией, можно к вам?).

А секрет в том, что его боятся, вдруг да начнет оставаться (любимая фраза женщин: «Чувствую, он начинает оставаться»).

Тем более он старый. Что не мешает ему вдруг явиться и в тот же домофон жалко заявить: «Пусти, потрогай, как у меня стоит!» И, после паузы, опять крикнуть: «Жизнь коротка, но ожидание ответа бесконечно, алле!»

Кто же ему откроет ради таких аргументов?

А тем более после его ночевки надо все стирать и перебивать диван до пружин, если честно.

Вообще у него есть какая-то конурка, но затопленная, на полу вода, потолка нет, обвал. Унитаз свернут под корень. Запах! По стене течет. А хозяин после развода и разъезда с семьей (выделили ему такое жилье, сволочи!) способен только читать, нашел приют в библиотеках. Носит с собой хлеб, пьет из-под крана, в библиотечном буфете может подъесть за ушедшими остатки. Блюдолиз, изволите видеть. Брошен, брошен женой и в ссоре с детьми. Тоскует по вареному и, получивши пенсию, сразу покупает горячее — сосиску или (мечта жизни) два, а то и три гамбургера. Не умеет управляться с деньгами!

С пенсии он немедленно (это торжество совести!) раздает долги, оставаясь ни с чем, но это еще одна отмычка, такое парадное возвращение долга — ни больше ни меньше как прямой повод для «пролетая над вашей территорией». Я к вам забегу отдать денежку — поесть то бишь.

А потом подловит у чужой работы: «Нету на лекарство для глаз, слепну! С пенсии верну, ну ты же знаешь!»

Так все движется, и вот однажды событие: его письменное, в инстанции, заявление о бесплатной путевке (в той же библиотечной курилке надоумили товарищи, ходоки и хлопотуны о правах человека, куда и как написать, помогли делом, даже продиктовали),— так вот, его просьба, поданная еще прошлым летом и написанная казенной ручкой на почте, долежалась до его же следующего визита.

Кто-то опять-таки в библиотеке (он кратко называет ее «биб-ка») похвастался бесплатным санаторием. Омраченный нарушением своих прав, обидчиво завидуя, отщепенец встрепенулся, опять потопал в канцелярию и писклявo, умоляюще стал спрашивать, дадут ли путевку, год с лишним прошел.

Подняли его заяву, а там, оказывается, была уже наложена резолюция. «Где ж вы были? Вам бесплатная путевка, вот, вот она, горящая, но с позавчера! Где документы? Паспорт?» Хитроумные глазки чиновницы. Сплавляет ему негодное! Ах ты... Вспылил.

Сказал в той же курилке пару запальчивых слов. Ему начали возражать, что это еще хорошо. Другим в ноябре дают.

Вышел на улицу, опомнился. Пахло дымком, опавшей листвой.

Пушкинская пора, очей очарованье, октябрь. Уж роща отряхает листы, действительно.

Об эту пору дом отдыха! Мечта ведь, если вдуматься. Обеды, ужины, завтраки! Хлеб забирать с собой на ночь, практично наметил сразу же. Пошла едкая слюна, ничего не ел еще. Вернулся, кинулся в буфет. На бумажной тарелочке лежал недогрызенный хлеб. Горячая вода в титане, спасение. Налил в чужой стакан.

Начал действовать.

В известном ночлежном пункте, куда не хотел ходить после прошлых конфликтов, все свое старое снял и, умоляя, что вот-вот получит работу, был одет в приличную одежку секонд-хенд и переночевал там, опять поскандалив с соседями. Затем бегал по помойкам, копался, искал себе сумку, заботливо отстраняясь от грязи. И нашел чемодан из кожзаменителя!

Зимний теплый берет был свой, старый, в кармане.

Шарф буквально наобум выхитрил у библиотечной гардеробщицы: «Я тут оставил... Когда не помню. Тут просыпаюсь один в своей постели... Холод! Как одинокому мужчине нужна женская рука!

Где шарф? Стал перебирать в уме... Скорей всего у вас. Только на вас надежда...»

— (Брезгливо.) Это что ли ваш? Я не выкидала, тряпка какая-то.

— Огромная вам благодарность!

Чуть не прослезился!

Чужой шарф надеть сразу не рискнул. Выскользнул. С темной курткой и с беретом зеленый шарф (зашел в универмаг посмотрелся так и так) было то что надо.

Ребята из библиотечной курилки опять-таки подсказали где искать обувь — у павильонов на рынке, как раз где люди ее покупают. Нашел к вечеру! Полуботинки чуть больше, и это было хорошо!

Путевку все же выдали, оказалось на 12 дней, за вычетом четырех дней получилось больше недели.

В чемодан положил свои бумажки, украденную (все-таки) на почте ручку.

Дико боясь и дрожа от холода, из своего затопленного логова выбрался в пять утра и по темноте поехал на электричке без билета, стоя в тамбуре у дверей.

Пенсия была за горами, через полмесяца.

По приезде, никого не заставши, поспал в вестибюле дома отдыха чинно, не ногами на диван, а клюя носом — и тут же после завтрака (умял тарелку хлеба с их кашей и омлетом, выпил трижды горячий чай с сахаром) он попер в ихнюю библиотеку, сильный, красивый! Немного помятый. Зеленый шарф через плечо, черный берет набок! С бумагами и ручкой!

И, мельком осмотревшись, ничего для себя не обнаружив (разумеется, разве найдешь по моей теме!), он произнес там речь об их бедности и о своих связях в книжных кругах на складах нереализованного товара, там хотят избавиться от неликвида, непроданных изданий, и это не детективы-дюдики, а серьезные вещи для самообразования, и если найдется машина, то завтра-послезавтра он привезет сотни экземпляров! Он им поможет! Книги по истории, популярные брошюры по медицине!

И одна пожилая дико заинтересована, а библиотекарша как раз вяловата — да где взять транспорт и как зарегистрировать, бэ, мэ, это только так кажется шо им нужно, люди не читают ничего, шо им надо в домотдыхе кроме детективов.

— А вы сами откуда будете? (Он, приветливо.) Вы южанка!

Она сама да, аж с Мелитополя.

Все у ней как полагается. Глаза отводит. Полненькая чересчур.

Поправил берет, перекинул шарф через плечо. Перебрал книги на стойке.

— О, ну вот, сказки! А вы знаете, что в одной из сказок Афанасьева можно прочесть «Мужик заворотил ей подол и начал валять?» То есть!

Библиотекарша скептически относится явно. Умеет отшить:

— Мужчина, вы че? Где вообще находитесь?

— Погодите! Этого вы нигде не узнаете! То есть валять дурака — имело другой смысл! Фаллос по-русски частенько назывался именно «дурак»! И приключения Ивана-дурака можно трактовать двояко!

— Что будете брать?

(Библиотекарша вообще! Не понимает ничего!)

— Кьеркегор есть? — Едко произносит он, с горечью. — Шпенглер?

— Ой, смотрите там. Детективы там.

— Де-вуш-ка! Не детекти-вы!

Пожилая же настроена активно, вмешивается в начавшийся контакт, она, пардон, наоборот, она хлопочет об адресе этого книжного склада, какие-то мифы о нем она уже слышала! Она также возражает библиотекарше, что это нужно, нужно определенному контингенту — Кьеркегор и Шпенглер, и, оказывается, ей читать здесь тоже абсолютно нечего, как и этому профессору (кивок в сторону зеленого шарфа), а она тоже доктор наук! Почти что. Сейчас эти защиты никому уже ничего не дадут. Диссертация лежит в столе.

— У меня! Вот именно! Диссер! У меня тоже в столе! Это что же за такое! Никому! — заявляет он.

Хотя никакого стола у него нету.

Они громко толкуют в библиотеке, уже не обращая внимания на вялую библиотекаршу, вместе выходят (пожилую почти-доктора он пропускает вперед, это производит на нее сильное впечатление), они галдят на ходу, поталкивая друг друга локтями, садятся на лавочку, он для убедительности хватает пожилую за рукав, потом они вспархивают и идут по аллее старого замшелого парка, и октябрь пахнет сладким дымом отечества.

Т. е. туман, сырые деревья, листопад, бетонные урны...

— ...чтобы иметь право идти по этому пути, надо раздать все имущество! А если у вас нет ничего? Для вас закрыты двери желанной обители?

— Дда?! — подвскрикивает она.

— Или есть богатства, но это именно сокровища разума!

— Дда!!!

— И тогда — о, облекись умственно в рясу чернеца! Если хочешь взять это поприще!

Он действительно хотел пожить в монастыре год назад.

Он чуть не всплакнул, вспомнив результат.

Как монахи с ним тут же полаялись.

(Правды нет и выше.)

Далее она смотрит на часики (у нее все есть, сумочка, часы, перчатки, крепкие ботинки, зонт на петельке, и тоже шарф, и тоже черный берет!) и говорит: «Обед! Опоздали».

Приползают впопыхах.

Оглядевшись, он задорно просит официанток пересадить его за стол Тамары Леонардовны. Но стол ее, за которым уже отобедали, занят, оказывается, целиком.

Разлученный сжирает обед опять с полной тарелкой хлеба и дохлебывает после компота остаток супа из общей кастрюли. Никак не может наесться.

Он встает как добрый молодец перед ее столом: куда идем?

Но расходятся в спальном корпусе по палатам, Тамара, пардон, отдыхает после обеда, привычка.

Он тоже ложится на чистые простыни и со стоном счастья засыпает.

Она стучит ему в дверь:

— Александр Антонович! Ужин!

Узнала номер его комнаты. Позаботилась.

Теплое чувство счастья сироты охватывает его душу.

Нажирается в третий раз и берет с собой белого хлеба в карман, на ночь. Подумав, прихватывает и куска два черного.

В сумерках они идут опять по парку, по своей аллее, ранняя луна сияет в светлых просторах, и доходят до речки.

Тамара слушает, а он соловьем разливается о Франциске Ассизском, что этот монах любое оскорбление воспринимал как Божью благодать.

— Да? — взволнованно спрашивает Т. Л., а А. А. отвечает:

— Да!

— Да? (Все время ее вопросы.)

— Да! Да! (Его ответ.)

— Как мне это всегда было надо,— восклицает Т. Л.— Но как!

— Да,— подхватывает он.— Нам всем. Оскорбляют безвозмездно.

Посидели в сырости на бревне на берегу, побрели назад во тьме и под луной. Черный хлеб источал волнующий запах из кармана. Ущипнул кусок, не выдержал.

— Бороться и искать, найти и перепрятать,— бормочет он, жуя.

— Что вы? — переспрашивает Тамара обеспокоенно.

— Это мы в университете когда стояли за пирожками...

— О! Пирожки! — смеется она.— В универе! На факе!

Придя в палату, он пожрал смятого, раскрошенного в кармане хлеба и запил водичкой, тут стоял графин с явно кипяченой водой! Прямо из графина хлебнул и облился. Долго кашлял. Все наша спешка!

Тут сосед пришел. Огляделся, везде крошки и лужа на полу. То он жил один, а то здрасте, постоялец.

На приветствие хмуро буркнул.

Скандала, однако, не получилось, А. А. быстро вышел, не оглядываясь на лужу, и застрял в холле перед телевизором. Как зачарованный смотрел все подряд, делая живые замечания. Он один вскрикивал. Бурно хохотал. Изрекал ядовитую критику. На него косились.

И потом потекла череда этих оставшихся дней, каждый отдельно стоял потом в памяти.

Т. Л. и А. А. говорили и говорили как безумные, прохаживались и прохаживались на глазах у всех, несмотря на то что остальные женские отдыхающие смотрели посмеиваясь как бы нарочно громко, но нет, результата это не дало.

А. А. даже настоял, чтобы его перевели за столик Т. Л., он оставил свою дамскую компанию и пересел пятым к ней, потеснил всех, беспардонно так.

Это вообще всех поперебесило, одна женщина ушла сама в знак протеста, покинула стол Т. Л., перебралась подальше.

Суть же претензий заключалась в том, что Тамаре было 75 лет! (Узнали у секретарши директора.) Роман, называется! Связался черт с младенцем! На 14 годков она его старше!

Затем народная молва присудила так: этот Сашка просто ищет к кому подселиться! А ни одна женщина его не подберет, с какого еще подпрыгу! Ни зубов, ни волос, ни крыши над головой.

Откуда-то они всё знали. Догадались, может быть. Собрали из оброненных им в пылу фраз. Человек легко себя выдает мудрому уму, каковым является каждый слушающий женский ум. А. А. много орал.

Она не знала ничего и не хотела знать. Витала в высоких прериях, как выразилась откровенно одна из ее соседок по столу.

Она как раз, эта соседка Ниночка, взяла у Т. Л. телефон и буквально через недельку после возвращения из дома отдыха позвонила ей, как да что.

Сашка подошел к телефону! Она так пытливо спросила: «Александр Антонович?» — что он растерялся и брякнул: «А какая разница?»

Они не смогли расстаться, ну прямо как маленькие.

Они, эти двое, черт с младенцем, действительно живут вместе, вдали от глаз первых свидетелей, вдали от мира вообще.

А. А. теперь ест по утрам, перед библиотекой, и по вечерам, после библиотеки.

Т. сбивается с ног, жалуется А. А., а он ее в этом не поддерживает, путь чернеца тернист!

Копается, погряз в своих бумажках-лоскутках, никак чего-то не найдет. Наконец, через два часа криков, что это ты затырила куда-то со своими способностями наводить срач, ура! Любимый клок бумаги найден.

Тамара выводит его на чистую воду:

— А говорил, что я выкинула! И так всегда!

Он в ответ мирно кудахчет:

— Как говорил Мэрфи, материя не может ни создаваться, ни уничтожаться. Но она может потеряться.

У него теперь есть две общие тетради в клеточку. Мечта сбылась. Тамарочка ему купила по просьбе. И начала хлопоты по пересчету ему пенсии. Активно так! Поехала собрала справки.

Теперь он будет ездить на метро как все! По праву!

(Приходилось унижаться и строить из себя старика, сгибаться, жалко улыбаться, чтобы пустили.)

Все, решительно все против этого сожительства, например родственники Тамары, ее племянники в особенности. Не ровен час старые молодые поженятся!

Она, однако, решительно посвежела, действительно носит с указанного Сашей склада ненужные никому, беспризорные книги, дарит их в больницы, возит в дома престарелых, где есть люди, нуждающиеся в чтении, но необеспеченные.

Она даже мечтает стать библиотекарем какой-нибудь малой библиотечки, чтобы люди туда отдавали ненужное прочитанное и т. д., а брали новое — хочет нести утешение хотя бы в виде этих популярных брошюр по истории, например.

Народ, правда, желает забвения и легких наркотиков в виде глупых детективов, и Тамарочка шнырит среди знакомых, кто чем пожертвует для бедных больных.

И тоже таскает это по больницам, как Франциск Ассизский, для которого любое оскорбление — Божья благодать, как учит ее Сашка.

Они вечерами сидят с этим Александром Антоновичем, галдят, перебивая друг друга, он ее ругает после каждого сообщения, как специально вставая на сторону тех, кто обидел Тамару («Они в целом правы, ты сама дура и полезла не в свое время, правильно сделали, что охрана не пустила! Это же надо думать умом! А бы накостыляли по шее?»), т. е. ведет себя как нормальный муж, и она, как каждая жена, вскипает, моя посуду.

Руки у нее крючковатые, шишки сидят, как на еловых сучьях, ноги отечные, да и он тоже красавец каких поискать, образцы человечества.

Затем они идут по койкам, на ночь читают, обмениваясь мыслями, восклицая и цитируя, потом спят. Утром опять та же кутерьма, круговерть, завтрак, сборы, споры до визга, и кто знает, может быть, старый Сашка в ужасе, что Тамарочка когда-нибудь оставит его опять в одиночестве...

Замуж за него она не идет, отлынивает. Не объясняет почему.

Он на эту тему замолчал раз и навсегда.

Хотя один раз она поцеловала ему руку, когда он заболел.

Он воет во сне от горя, плачет, но утром ворчит и строит из себя начальство, а Тамарочка в халате, в шлепках жарит ему яичницу, не успевши причесаться и вздеть верхнюю челюсть...

Теперь он в своем новом положении ходит, да, опять-таки ходит по гостям, отдавая по-прежнему свои мелкие долги, ест неумеренно, говорит с тем же жаром перед дамами (а что, каждый имеет право ходить налево!), но апломбу прибавилось, то и дело вставляет живые примеры: «Жена меня в театр таскала, ей сунули бесплатные билеты, и этто, я вам доложу, пыточная камера, какой-то вечер стрелецкой казни!» или «Да у моей жены, так называемой Тамарочки, диссертация докторская который год лежит по Диккенсу».

Правда, яичница у них с Тамарой бывает только в первые три дня после каждой пенсии, но Саша выбрит, костюмец чистый, даже ботинки целые и чистые, а Тамарочке Александр нашел на том же рынке большие мужские сапоги на меху! Стояли брошенные! Пошел по сапоги для себя, а принес для нее, орал, что они ему малы, заставил ее их надеть и одобрил: никто не скажет, что мужские.

Она отказывалась, отнекивалась. Стеснялась.

Он ядовито произнес:

— Еще Чехов в письме к брату писал: они не уничтожают себя с тою целью! С тою целью, понимаешь, чтобы вызвать в других сочувствие! В чем ты ходишь? Говнодавы промокающие!

Когда она выходит в этих его сапогах, он придирчиво любуется ее новыми ногами. Он вообще строг насчет ее внешности.

— Причешись хотя бы, так называемая Тамара! — командует он и удаляется.

Она ведь медленная, ползает по квартиренке еле-еле, убирает, думает где чего найти, подкупить ли костей (продаются для собак) и сварить ли крепкий бульон для этого, который свалился на шею неведомо откуда, беспомощный, как все паразиты, и паразит, как все беспомощные, да еще и критикует и указывает, и нет сил тащиться на рынок, там под закрытие можно найти брошенные, мятые овощи или битые яблочки, надо сварить ему что-то.

Стыдно перед воображаемыми недругами, которые тайно смеются, но у нее есть мистическая тайна и оправдание!

Некое старое фото.

Вечером он придет, его Тамара будет при параде, все чисто, накрыт ужин, в чашке крепкий бульон, на второе рагу из удачно подобранных (на рынке с полу) овощей, однако Саша сметет все это не заметив и будет орать, что Ф. оказался именно ф, фикцией, и его теория тоже оказалась фикцией, так все считают, а он первый это понял еще когда!

— Помню, как ты его превозносил,— ядовито отвечает Тамара,— просто кипел! На меня кричал!

— Когда?! Я кипел?! (Тихо.) Ты сошла с ума!

— (Ядовито.) А кто говорил, что его теория эпохообразующая?

Он, примирительно:

— Было же, я поначалу верил, как и многие...

— Да! (Торжественно.) Ежели миллион человек верит в некую дурость, она все равно останется дуростью.

— И нечего меня цитировать... (С нажимом.) Я пока что не классик.

— ?

— Живой пока что (пауза, включает плохенький телевизор). О! О! Побежали! Бег от инфаркта... к инсульту. (Ворча, щелкает переключателем.) Наша задача какая, Тамара? Дойти до конца в спортивной форме!

Она:

— На своих ногах и в своем разуме!

И т. д.

Ночью ему опять снится ужас, он кричит, а Тамара Леонардовна встает и дует ему на лысый лоб, поправляет съехавшее одеяло как своему ребенку, который у нее умер при рождении в незапамятные времена.

Тут ее главная тайна: она никогда в это не верила, ребенка больше не показали, и всё. Теперь он вернулся. Он похож! (На Того.) Дату рождения ему изменили, очень просто.

Вот тут и мистика: странно, перебирала бумаги, и нашлась фотография Того, которую она ясно помнила, что порвала и выкинула. Снимок всплыл на поверхность, лежал в папке с диссертацией в пожелтевшем конверте. Зачем ей понадобилось открывать эту папку? А, хотела дать ему на просмотр.

Он отрекся от этого насильственного чтения:

— Тамара так называемая! Ты желаешь таким путем доказать мне, что ты больно умная?

Но снимок! Буквально одно лицо, только изображенный на фото много моложе.

Спросила, протянув ему конверт:

— Это ты? Посмотри, посмотри!

Долго отнекивался, даже отворачивался:

— Ой, да не суй мне это под нос!

Наконец взглянул на фотографию из ее дрожащей руки.

— Смотри, это же вылитый ты!

— Тут дата, балда. Кисловодск нарзан галлерея с двумя «л», ты что? И написано привет с Кавказа! Я там не был, Тамарочка. Я еще вообще тогда не родился!

Тут же его унесло на кухню, и затем он садится перед маленьким телевизором с чашкой чая и куском белого хлеба.

А она прячет конверт, возвращает на место в старую папку и так и хочет торжественно произнести вслух «маленький мой».

Порыв

Гордый, гордый, измученный борец за свою любовь, чего она только не вытворяла!

(На все имея, как она думала, свои права.)

И через что только эта любящая ни прошла, в том числе родной муж на прощанье погнул ей передний зуб ударом кулака (зуб удалось отогнуть обратно).

Дети! Дети от нее чуть ли не сбегали, дочь не хотела ее видеть, не отвечала по телефону, заслышав плачущий голос матери.

Сын-то что, сын остался с матерью, она его отвезла на дачу, где теперь прозябала, зимняя полусгнившая дачка с печкой, школа в деревне и магазин сельпо, где чипсы, мороженое, пицца, шоколадки, постное масло, хлеб и мыло, а сыр бывает не всегда.

Вот там она с этим сыночком и проводила все то время, когда не охотилась за своим любимым, за светом всей своей жизни,— а это был обычнейший человек, каких тысячи, не очень молодой, среднего вида, умеренно щедрый, но ведь зацепит, понесет — и не знаешь что с этим делать.

Огонь в крови, что называется, цепь химических реакций, буквально в преддверии атомного взрыва!

Еще и побрилась налысо.

Но ей все было к лицу — и эта истощенность, и эти огромные сверкающие бриллианты в виде глаз, и большой спекшийся рот, всё.

Тут бедняга объект не знал что поделать, у него уже имелась порядочная иностранка жена и сын студент, хорошая квартира, все налажено, европейский быт, иногда легкие романы без обязательств, дача (бывший хутор) в Литве, случайный секс в командировках (это и было, кстати, началом данной истории, секс в чужом городе, в гостинице, поскольку и он, и та, о которой идет речь, были теперь жителями разных стран).

Затем дело повернулось так, что он специально приехал на длительную побывку в Москву, все умно устроил, и ему его фирма даже сняла квартиру.

И эта Даша, о которой идет речь, бывала у него неоднократно наездами с дачи — дело происходило уже летом, сын пасся на воле, у него были закадычные дружки в поселке, а еда — насчет еды он был спокоен, покупал себе в магазинчике мороженое, чипсы, кока-колу и заледеневшую пиццу, и они с друзьями пировали, даже жгли костер в заброшенном мангале, который еще давно, о прошлом годе, приобрел ныне отставленный отец.

Даше это было на руку, сын самостоятельный человечек, мангал — здорово придумал, молодец, вон еще картошка есть, пеките!

При этом она могла уезжать в город, где ее любимый свил для нее гнездышко и где их ожидала постель.

К ночи Дарья, взвившись как цунами из койки в полный голый рост, выметалась к сыну, иногда с последней электричкой, что делать!

Стон стоял в душах разлучавшихся влюбленных, еженощные вопли прощания.

Но это только распаляло взаимную тягу, это постоянное слово «нельзя» и «надо».

Что-то, правда, маячило в скором будущем, Даша устроила сына в молодежный лагерь, все шло к желанному результату — и, выкупив путевку, Дарья с торжеством кинулась к своему гражданскому супругу.

Она незапланированно, без звонка, бежала ему сообщить, что на ближайшие двадцать четыре дня они свободны. Поскольку трубку он не брал ни там ни тут.

Может, у них совещание. Белый же день на дворе!

Очень быстро, схватив тачку, Даша оказалась у знакомого дома.

Мысль была такая, что все быстренько приготовлю, дождусь любимого человека, ура!

Однако, порывшись в сумке перед дверью, она обнаружила, что у нее нет ключа! Куда-то он запропастился. Потеряла? Но как? Он же был на связке!

Совершенно обалдев от такого открытия, Даша спустилась вниз и встала у подъезда, глядя вверх.

Квартира дорогого находилась на втором этаже, как раз над балконом первого этажа, а именно на этом балконе имелась решетка, крепко сваренная тюремная решетка, и они с Алешенькой всегда даже весело недоумевали, как же эти люди живут как в камере, небо в клеточку!

Далее они догадались, что эта клетка вполне может быть использована как лестничка: раз — и ты на балконе второго этажа!

То есть защита от воров на первом этаже есть путь как раз для этих же воров к соседям!

И надо тоже загораживать свой балкон, и это будет цепная реакция, распространение тюремных решеток вверх.

Так они весело рассуждали, возвращаясь домой, беззаботные владельцы не своего имущества, ничего не имеющие, ничего в этом городе, кроме гнилой дачки с печкой (правда, в очень хорошем поселке).

Здесь надо сказать, что Дарья была не просто так себе бедная женщина, беглянка с ребенком, она к описываемому времени очень хорошо зарабатывала своим ремеслом, гораздо больше, скажем, чем ее заброшенный муж или этот новейший кандидат Алешенька.

О, Дарья только внешне выглядела бедолагой, а на самом-то деле она уже начала вить новое гнездо, заказала архитектору проект загородного дома в два этажа и даже сделала великий первый шаг, насыпала из щебня дорогу для строительной техники от шоссе и прямиком к домику, то есть заложила основу новой жизни.

Так! Однако же теперь она стояла под окном недоступной квартиры, Алешенька еще не пришел, а ждать на лавочке это дитя порыва не могло.

Быстро и аккуратно, не оглянувшись, она цап-цап и взвилась на балкон второго этажа по балконной решетке первого — прямиком до заветной цели, перевалила за перила очень бодро и радостно — и оказалась у входа в квартиру, у стеклянной приотворенной балконной двери.

Она вошла, восторгаясь собой и готовясь (впоследствии, когда Алешенька явится), к веселому рассказу о своем подвиге, тронулась было на кухню выпить воды, но у двери оглянулась — и оцепенела.

Стоял аккуратный приоткрытый чужой чемодан, на тумбочке лежала дамская сумочка, но постель! Постель являла собой полуостывшее поле битвы, да. Следы сексуального побоища были налицо, к тому же имелось маленькое как бы засморканное полотенце...

Итак, у Алешеньки только что была женщина. И он дома.

С кухни, вдобавок, доносилось постукивание, как бы лязг ножика по той самой фарфоровой дощечке, которую Даша купила месяц назад! Явно готовилась какая-то пища, слышался голос женщины с вопросительными интимными интонациями, то есть чужая баба вела себя как в собственной квартире!

Алешенька что-то утвердительное вякнул в ответ. Согласился. Его голос!

Они не в первый раз вместе тут!

Не помня себя от гнева, полная отвращения и страдания, наша Дарья, забыв обо всем, ринулась на эту кухню и закатила Алешеньке истерику, не больше и не меньше.

Она кричала, захлебываясь слезами и соплями, чуть ли не душила себя сама. Она зачем-то обращалась за утешением к своему любимому мужу, который ей только что изменил с другой!

Она не видела ничего вокруг, ее не интересовала эта вежливая окаменевшая тетка, которая замерла с занесенным ножиком, и даже Алешенька, бледно улыбающийся, сидящий в углу, сейчас ушел на задний план и там маячил в неразличимом виде, как белое пятно.

Даша протягивала к нему руки и все бормотала, плача.

Однако же, как оказалось, Даша выдала в этот момент свое самое гениальное произведение. Ни раньше, ни позже ни один текст такой силы не производила ее мятежная душа.

Затем она повернулась, застонала и ринулась вон. Она бежала сломя голову, не различая сквозь слезы ступенек, она выскочила на дорогу чуть ли не под автобус, раздался визг тормозов, но она промчалась дальше как вихрь, спасаясь, понеслась среди домов напрямик, вылетела на магистраль и стала ловить машину, тряся рукой и подпрыгивая.

Там ее, остановившуюся в своем порыве, и настиг Алешенька, обнял, стопанул тачку и поехал с ней в ее дачный домик — навсегда.

Он сразу ей сказал, что это неожиданно приехала жена.

Добавочным призом в этой трагедии было не только то, что он отключил свои телефоны, но и то, что дверь в квартиру была защелкнута на дополнительную кнопочку, про которую они шутили в свое время, что вор не вылезет, не зная секрета.

Эта кнопочка блокировала возможность входа-выхода, эта шальная кнопочка, но Дашу на вылете из квартиры как свет озарил, она даже как-то засмеялась, рыдая, и легким нажатием освободила замок.

Она поняла, что Алешенька предусмотрительно запер дверь изнутри, его жена не могла знать этого секретика! Алешенька запер дверь, боясь, что придет она, Дарья!

Да: и куда делся ключ, кто снял его со связки? Когда?

Но об этом она никогда не спрашивала своего мужа, никогда в жизни.

Са и Со

Дело-то было в летнем лагере, причем в старшем отряде, и роли распределялись так: был мальчик Владик, который ходил с девочкой Ирой, как будто был ее собственность, и были две двоюродные сестры — Са и Со, Саня и Соня. Теперь Ира: в свои пятнадцать лет какая-то как будто ей уже восемнадцать и одетая в простые, но все время новые тряпки, вообще-то висящие на ней как на вешалке, но правильные на второй взгляд. Короче, сама уродина, толстый рот, маленькие глазки, но спокойная на этот счет. Фигура никакая, волос на голове мало, какой-то ежик, сверху платок на лоб, при этом хорошо понимает, так сказать, свою внутреннюю ценность.

Все девочки старшего отряда сразу невзлюбили ее, тем более при ней находился этот Владик, с которым она немедленно стала повсюду появляться, он-то был жутко красивый парень, похож на какого-то американского киноартиста. Причем упрямый как бык, неразговорчивый, ни на какие слова и шутки не отвечал и все время таскался за этой Ирой. То ли они вместе приехали, но оказалось, что нет, девочки прямо спросили Иру во второй вечер: «Вы с Владиком вместе приехали?» — а она ответила: «А какая разница», то есть не вместе. В столовой за одним столом, в кино рядом, танцуют неразлучно и так далее с первого дня.

И тут Са и Со.

Са в расчет не принимается, такая рыба, талии нет, глаза белые, здоровенная и как охранник при сестре, их вместе привезли мамы — типа будьте рядом перед лицом судьбы. Отражайте удары.

Дальше идет Со, Соня, маленькая, не худая, черные волосы кудрявые до плеч, все время смеется. Тоже так себе.

И вот в спальне у девочек (неделя прошла) возникает разговор, почему это Владик ходит с Ирой. Все недовольны: кто эта Ира? Она ни с кем не разговаривает, слишком такая гордая, что ли? Одна, Оля, хотела с ней подружиться (с дальним прицелом, конечно, на Владика), и Ира ей ответила, что нет, эти юбки не итальянские, сама себе она как бы шьет по выкройкам, а потом из разговора выяснилось, что Ира живет без мамы, у мамы новый муж, ха-ха, Иру отселили к бабушке, а та больная, и Ира все делает, готовит, стирает: Золушка! Говоришь по-английски — говорит, а кем будешь — будет дизайнером, не что-нибудь. Никто из ребят еще не знает точно куда пойдет после школы, все-таки еще время есть, а у этой уже все схвачено. Занимается с педагогами. А кто мамин муж — а вот на это она ответила «а в чем дело». С такими сведениями вернулась из разведки Оля.

Теперь: что в ней нашел Владик? Некрасивая, стрижка никакая, если бы лысая под ноль, тогда понятно. Юбки и шорты классные. Врет что сама сшила.

Все остальные девочки на разных стадиях возраста, одни прыщавые, другие уже выровнялись, все нервно смеются, многие бреют ноги в душевой, косметику употребляют повально, мажутся до завтрака! Ира, что Ира — слегка проводит помадой по своему толстому рту. Маленькие глаза не красит. Ходит при этом прямая как спичка.

Короче, Са и Со все время рядом вроде близнецов, какие-то сросшиеся, тихо разговаривают, они тоже выпали из общей жизни отряда. Не обращают внимания ни на кого, им достаточно друг друга.

Но разговоры о Владике и Ире доходят до них тоже. Они, Са и Со, смеются тихо и самоуверенно. Высокая, толстая как рыба Са и маленькая Со хихикают, а сами ничего из себя не представляют.

И вдруг, поговорив и посмеявшись с Са, Со замечает, что может отбить Владика у Иры.

Все охотно хохочут, даже язвительно. Дело происходит на берегу огромного пруда. Девочки лежат на полотенцах, загорают. Это первый жаркий день после приезда. Все уже знают, что с Са и Со некому было сидеть на даче, и их запихнули в этот лагерь. Как на каторгу, нормально?

А Ира с Владиком уже разделись, идут в воду, глядите, семейная пара, он ее поддерживает. У Иры обыкновенное худое тело, никаких особенных изгибов, кожа бледная, талия длинноватая, на голове наверчен платок. Ноги нормальные. Владик уже где-то загорел, сильный как бычок, ноги красивые, плечи в порядке. Хорош.

И тут Со произносит эту фразу, что может отбить Владика у этой Иры. Она тоже уже разделась и идет с Са в воду. У Са белое детское брюхо, длинные сильные ноги как колонны, длинные руки. Что же касается Со, то она в тесном купальнике, такая маленькая, черные кудри по плечам и все время смеется. Са и Со брызгают друг на друга, хохочут, вот обе плюхнулись в воду как рыбы и помчались хорошим кролем, обученные девки.

Спасатель на лодке спохватился и погнал наперерез, очень уж напоказ они пошли.

Остальные девочки пожали плечами и слегка макнулись, преувеличенно визжа и оберегая накрашенные ресницы. Поплыли, высоко торча башками из воды и глядя, разумеется, куда — вслед Владику, нет вопросов.

Ира вон она, загребает не спеша, на голове намотано, потому голову не погружает. Владик ускакал далеко вперед, и там, ближе к лодке спасателей, вся тройка пловцов повернула назад — Са, Со и Владик, и пошли обратно с большой мощью, а потом, как дельфины по команде, метнулись опять вперед.

Весело было наблюдать за ними, все увлеклись, кто сдастся первым? И откуда же у Са такое брюхо неспортивное? И что же она сутулится-то? А Со, смотрите, Со как летит! Уже старается.

Владик их, конечно, обогнал и уже мчится обратно и наперерез, навстречу. Это тебе не мелкое хулиганство на воде, которое затеяли остальные мужские крестьяне отряда — утопить, с гоготом поднырнуть, зацепить за резинку чужих трусов, вынырнуть с комком ила и плюхнуть им в морду товарища, потом им кинули мяч, они с размаху бацают мячом в девочек, девочки с визгом, панически гребут к берегу, сейчас потечет тушь с ресниц — а Владик сосредоточенно бороздит пруд, красавец, спортсмен.

Правда, на полотенцах шушукаются, что Владик оказался маленький, ему всего четырнадцать лет, а Ире-то пятнадцать! И Са пятнадцать, а вот Со четырнадцать с половиной.

Вот они выходят на бережок, дылда Са и маленькая Со, головы облизанные, глазки слипшиеся, но мальчики удваивают активность в своем хулиганстве на воде, плюхи, гогот, взволнованные крики, нырки, сопли на мордах. Мелькают белые пятки. Мужики.

Са и Со сохнут. У Со мокрые кудри как у какой-то итальянской артистки, крупная стружка, черные глаза горят. Они с Са стоят спиной к пруду, Оля их фотографирует их же мыльницей. Сразу выстраивается толпа девочек, вроде как очередь на съемки, наблюдает. У Со неожиданно тоненькая талия, а грудь будь здоров, размер второй, наверно.

Потом Со сидит лицом к пруду и рассеянно смотрит вокруг, водит черными глазками, у нее лохматые ресницы оказались, вот неожиданность. Что значит девушка обнажилась! Парни на воде гогочут как гуси, всполошились почему-то. Со смеется тихо, но довольно явственно (это Са ей что-то говорит).

На этот журчащий смех Владик, который выходит из воды, вдруг вскидывает голову и глупо ищет источник звука. Как будто его позвали!

Смех Со — ее фирменный знак, она смеется постоянно, но здесь, над прудом, над зеленой и синей поверхностью, сверкающей как бы множеством стеклышек, при запахе воды и помятой травы смех Со резко отличается от всех других звуков, криков, грубого хохота и визга: явственный звон ручья, вот это что.

Потом все идут обедать, Владик за одним столом с Ирой, все нормально.

Но тут Со опять засмеялась, что-то произошло там у них, через два столика направо.

Владик непроизвольно поворачивает туда свою стриженую голову упрямого бычка.

Со не видать, она прячется за широкие плечи Са. Два парня, их соседи, дружно ржут.

Над кем они гогочут, эти кони? Владик смущен и невпопад отвечает Ире, механически допивая сок.

Там, за тем столиком направо, опять грохнули смехом.

На глазах у всех явно образуется новое бандформирование, эти четверо теперь повсюду ходят вместе, трое вокруг малютки Со.

Вместе танцуют, вместе в кино, гуляют, хохочут до визга.

Са явно довольна, те двое парней тоже, а Со мила, скромна и прячется в центре своей свиты, ее уже не достать.

Они и плавают теперь все вместе, а Владик гоняет отдельно, мощно и на скорость, а те теперь плещутся беседуя и смеясь и шалят по дороге.

Временами Владик выныривает прямо перед Со, как-то угадывает ее передвижения. Со щурит слипшиеся стрелками ресницы и смеется — прямо ему в лицо, такая у нее привычка. Над ним смеется?

Владик в панике ныряет, спасается в толщу воды.

Да, Владик печален теперь, видно, что он задет, как-то ранен, он загрустил, он рассеян за столом и тоскливо поглядывает вправо, глаза какие-то растерянные, а густые брови сомкнуты на переносице.

Он не понимает, что с ним, это видно.

Он невольно следует глазами за хитрой Со, которая прячется в центре своего кружка.

Кружок этот вырос, еще один мальчик появился.

Больше всех довольна высокая, толстая Са. Она, оказывается, очень остроумная и свободная девка и дико смешит Со и ребят.

Она плевать хотела на свою внешность, правда, за отчетное время Са явно похорошела, загорела, над алыми щеками (нос тоже алый) горят бесовским огнем светлые глаза, мелкие кудри свисают надо лбом, скрывая прыщи, и слова летят как стрелы!

Со негромко смеется.

Ребята ржут и тоже вставляют свои реплики. Как им там хорошо, как интересно! И над кем они так хохочут?

Другим сразу становится одиноко, хочется быть поближе к этой компании, народ побойчее помаленьку стягивается к ним.

Та самая Оля уже завоевала себе место рядом.

Это теперь самое веселое ядро отряда, они (все это знают) придумывают какую-то пьесу «Жопа», они садятся всюду рядом, гуляют толпой и т. д.

Наконец какой-то якобы традиционный костер. Трещат сучья, пламя летит в черноту, в темень, лица освещены дрожащим огнем, все неотрывно смотрят в костер, как первобытные зверьки, и вот грянула музыка, люди вскочили, начали дико прыгать, плясать, а Со, тихая и хитрая девочка, сидит на чьей-то куртке у костра. Ее глаза сверкают сквозь ресницы, лицо ярко-розовое, кудри как черные змеи, потемневшие губы неизвестно почему улыбаются, она осталась временно одна, Са танцует в толпе ребят, а вот и Владик, он подошел к Сò и присел на одно колено перед ней, протянул руку и вдруг погладил Со по голове! Что-то ей сказал. Она ответила. Они встали и ушли от костра. Всё.

Потом уже Владик не отходил от Со ни на шаг, только в столовой сидел за другим столом, но глазами водил все время направо.

У него был по-прежнему загнанный, какой-то взъерошенный вид, он невнимательно ел и все выворачивал глаз в сторону, как молодой бык, при неподвижной шее.

Ира, спокойная и простая, осталась вообще одна, одна ходила всюду, нимало не смущаясь, поскольку у нее появился друг физрук, студент. Днем он был занят, видимо.

Отряд ею уже не интересовался.

Но и Со осталась без своей компании, Владик увел ее от ребят, там теперь Са была центром и веселилась все так же, там возникли и другие девочки, образовались пары, народ пил, курил, бегал ночью на пруд купаться голышом.

И Со тоже каждую полночь испарялась из спальни и приходила на раннем рассвете. Она тоже выглядела не ахти, с обветренным ртом, запавшими глазами.

Уезжали из лагеря на автобусах, Со и Владик на заднем сиденье, оба серьезные, исхудавшие, взрослые, держатся за руки.

Владик то и дело целует Со в щеку, залезает губами в ее рот.

Маленькая Со совсем затуркана. Впрочем, Владик тоже как бы пребывает без памяти.

Автобусы едут уже по городу, быстро тает это последнее время, вот-вот разлука!

Девочки знают, что Со с родителями едет за границу, а Владик должен отправляться куда-то на дачу чуть ли не в деревню, где его ждет бабушка на садовом участке, он каждое лето там, ремонтирует дом, у него мама учительница, а отца нет.

Со встревожена, а Владик больше ни о чем не думает, его открытый рот ищет куда приткнуться на гладкой, мокрой щеке Со.

Приехали.

Наступает прощание, Монтекки и Капулетти ждут своих детей, хватают Со, целуют, запихивают их с Са в свой транспорт, Владик с рюкзаком склоняется к окну машины, где сидит Со, и говорит что-то, Со безудержно плачет и кивает. Но тут ее увозят.

Владик быстро идет к метро, едет домой и сразу же кидается к телефону, и вот тут начинается то, что зовется реальной жизнью, условиями существования, первой бедой человека.

Где-то там плачет Со и, как договорились, отказывается ехать с родителями в Испанию.

Скоро август, ничего, надо укрепиться и ждать сентября...

КОЛЫБЕЛЬНАЯ ПТИЧЬЕЙ РОДИНЫ

У юных дев есть такая манера — влюбиться издалека, найти в толпе лицо и облик и смотреть, смотреть. И, допустим, дело происходит на факультетском вечере где-то ближе к Новому году, и все старшекурсники тоже тут. Гомон, тьма, музыка, и, к примеру, вдруг старый джаз, почти цирковой номер, музыканты настроились на лирику: колыбельная птичьей родины, *Луллабай оф бёдленд, луллабай, луллабай.*

У выбранного предмета лицо принца, светлые волосы, он давно уже отмечен в коридорах факультета, где шмыгает юная дева, он герой, звезда, немного плейбой.

Их, этих порочных красавцев, на факультете примерно по одному на курс. На пятом некто Игорь, на четвертом этот, на нашем Олег, кстати, совершенно некрасивый, но характерная черта: в дружбе с первыми девушками курса, это Лина, Алка и Таня. Он с ними в дружбе, а бегает за Ниночкой, белым барашком, она удивительная дура. Дура настоящая, без примеси, как в третьем классе, и всем рассказывает про своего мужа Изю, Изюма. Это мама выдала ее замуж за Изюма, в скобках Исаак, он гинеколог мамы, старик лысый, бе, ему тридцать шесть лет. Нинка еще рассказала подружкам (а те всему курсу), что у нее был спазм! Изюм не знал, что поделать! Встал и метался. Он объяснял это тем (а Ниночка объяснила курсу), что недавно умер Нинкин отец от тяжелого продолжительного рака легких, мама Нинки взяла его к себе, хотя они находились давно в разводе. Мама взяла его к себе умирать из больницы, одинокого, и он на высоких подушках лежа кричал. А Изюм настаивал на свадьбе, и вот, когда Ниночка вышла за него замуж сразу после папы, только схоронили, то так все и не получилось ничего, спазм! Нервное потрясение, объяснял Изюм всему курсу. И Изюму пришлось отвезти молодую жену к другому врачу-гинекологу, к коллеге, сделать небольшой надрез, чтобы Нинке не было больно при акции дефлорации. Все люди на курсе это широко обсуждали. Ниночка была дурочка, всего семнадцать лет, не очень красивая, не Линка с Алкой, но все мужики от нее падали. Что они в ней находили? Постороннего лектора привезли на факультет, писателя с двумя женщинами (жены?), так он сам вопросы задавал, и всё Нинке: вот вы, молодежь. Ответьте, вы, вот вы. Я? Вы, вы, да. Жены-старухи, каждой лет по тридцать пять, сидели у него по бокам и тоже опупело смотрели на Ниночку. Она буквально сияла своими светлыми кудряшками посреди аудитории, как ангел, на нее падало солнце из окна сверху. Все были в нее влюблены, лекторы, студенты, прохожие. А Лина, Алка и Таня, три громадные, широкоплечие красавицы, они занимались в секции плавания, и они диктовали моду на факультете: курили на галерке в аудитории, резались в карты и ржали, и все вскоре разошлись с мужьями, в начале второго курса. А девицей считалось быть у них позор. К третьему курсу Олег ходил за Нинкой упорно, как больной, хотя ничего ему перепасть не могло, Ниночка вообще не понимала, зачем он все время рядом как сиамский близнец, норовит слиться с ней руками и боками. Терпела, и всё, как лошадь терпит жокея. При этом рассказывала подружкам (всем то есть), что пришлось делать аборт. Изюм занес сперму рукой, вот! (Изюм, оправдываясь, всячески ей объяснял, видимо, все свои действия. Сделает и объяснит. Изюм ей, а она народам.)

Тоже больной на голову, плешивый Исаак встречал каждый день после лекций Ниночку на машине. А в аудитории он заходить не имел права, и там царил Олег и те, Игорь и Владик, с пятого и четвертого курса, похаживали в коридорах со своими свитами, властвовали, оживленные и опасные, сердце уходило в пятки. Наиболее красивым был как раз Владик. Тот самый принц, и наша дева и думать не могла даже близко когда-нибудь к нему подойти, но в тот предновогодний факультетский вечер так было шумно, прекрасно, полутемно, и тут этот старый джаз, «спи, птичий край». Все затопали, зашумели, радость и печаль пронзили бедную душу девушки, она вроде бы увидела чужого принца, он-не-он, скорей почувствовала по общему облику, что это именно Владик, он стоял метрах в пяти, выделяясь в полутьме своими светлыми волосами. Дева начала на него смотреть во все глаза (попробую, подумала она). Смотрела-то она в туман, ничего не видя, светлое пятно, и всё, она всегда стеснялась надевать очки.

Пялилась, целясь в самый центр этого пятна. Подобрала себе подходящий объект и ну глядеть простодушно, просто так, Владик-не-Владик, но как будто бы он. Близорукость снимала все преграды, дева и сама не ведала, что так прямо заглядывает человеку в глаза, так откровенно таращится, не стесняясь ничего. Глядела-то в пятно! И что был у самой девушки за вид при этом, улыбалась ли она или просто так растопыривала свои большие черные глаза из-под черной челки — она не думала об этом, о своих громадных черных глазах, чернеющих просто как две чернильные кляксы! (Видимо.) Ей многие говорили, что у нее за глаза буквально как бездонные колодцы, черные звезды, но не те говорили, неважно кто. Дураки с первого курса.

То есть она смотрела как баран на новые ворота на этого еле видного Владика, и вдруг оно, это пятно, как-то повиновалось неморгающему взгляду, встрепенулось, склонило голову (пятно смазалось) и пошло как по веревке по этому черному лучу.

Она (Маша) не отводила взора от приближающегося белого лица, Владик или нет? Или, не дай бог, какое-нибудь фуфло с первого курса? (Идиоты.)

«Луллабай оф бёдленд» хорошо катилась вперед как смазанный паровоз, тяжело разворачивался джаз, набирая ход.

Лицо подплыло, оказалось Владиком и подхватило Машу в свои совершенно обычные на данный момент объятия, только немного закололо в горле и онемело все тело.

Тем не менее музыка закачала Машу, повела, обволокла, понесла в руках Владика, он приблизил свое (совершенно новое и простое) лицо к Машиному лицу, щеку к щеке, так надо танцевать блюз, свинг, а Маша-то была маленькой девочкой, а Владик был высокий, длинноногий принц, но щеку он понизил свою, чтобы достичь Машиной бледной щеки, ее челки и огромных черных глаз, которые стояли неподвижно как у куклы, буквально торчали (Маша ничего не могла поделать), и Владик именно этим, видимо, и заинтересовался и посмотрел Маше прямо в лицо, как иногда поворачивался и смотрел на Машу с ее колен собственный Машин кот, обернется и поглядит, как бы сам себе не веря.

Владик по ходу разбирательства даже слегка отстранился, издалека заглянул ей в глаза и увидел, вероятно, нечто такое, после чего приходилось только бежать, как видно,— или остаться рядом с такими глазами навеки.

Владик выбрал первое, не желая ничего вечного, серьезного, ему, наверно, хотелось плыть по жизни легко, срывая цветы встречных-поперечных лилий и кувшинок. Вечно скользить в стране птичьих снов. Все ведь еще впереди! То есть Владик отошел, как только закончился этот блюз, знаменитый «край птиц», и дальше мелькал своим крепким кудрявым затылком, широченными плечами, своей мордочкой ребенка где-то там, в стране снов, среди цветущих лужаек, подальше.

Маша провожала взглядом все его передвижения, каждый танец, но уже тихо, не светила своими лучами, не напрягалась, не вела его. Мало того, она была озадачена: как это так, когда они танцевали, не было никакого счастья.

Обыкновенные руки, какой-то серый пиджак с определенным запахом нагретой, потной шерсти, какой-то кадык над распахнутым воротником, глянцевитая щека, светлые глазки, румянец. Подойдя, чудо стало неизвестным простым человеком, и всё. Отошло — опять превратилось в любовь.

Это была, видимо, модель, которая потом не раз повторится в жизни,— то, что уходит в страну птичьих снов, что покидает, не дается, то становится наваждением. Но как только из легкого тумана высовывается простая, крепкая морда, выступает кадык, пиджак, воротник, приближается эта проза, желваки жизни, так мечта довольно быстро упархивает, прощай, страна птиц. И (думала Маша) если мечту так и удерживать на расстоянии, сколько будет слез, какие чувства, каждое движение Владика станет событием, о любовь (думала трезвая Маша). А вот полюбить живое лицо очень трудно, у юной девы в запасе уже было несколько таких историй, когда симпатяги появлялись, попавшись на свет черных глаз, а затем несли какую-то чепуху, оказывались дураками в конце концов. А раскапывать дальше, искать за банальностями, ерундой чью-то душу, доброту, щедрость, верность — это еще ей предстояло, да и не часто такие вещи попадаются в жизни. Доброта! Ее поискать.

Вон проскакал легконогий Олег вслед за тройкой прекрасных пловчих, а Ниночка не ходит на такие вечера, ее Изюм не пускает. Они с лысым Изюмом шляются в гости к таким же чернобровым красавцам вроде Изи, где сидят эти врачи и их жены и расспрашивают!

Маша уже не расходует огонь своих глаз, и так вокруг нее ходят разведчики, желающие стать сиамскими близнецами, но она тихо следует взглядом, как подсолнух за солнцем, за Владиком, поскольку опять попала в страну птичьих снов, опять колыбельная укачивает ее, Владик далеко и намеревается остаться там, вдали, больше он не подойдет никогда, а Маша спустя два года устроится в тот же институт, где он уже работает, и через несколько лет грянет гром: Владик объявлен сумасшедшим. Он как-то присвоил (вроде бы) важные данные и угрожал своему начальнику с глазу на глаз, что если его не сделают руководителем группы, то он уничтожит эти данные! Но с ним поступили как полагается, обещали, начали оформлять, а потом взяли с поличным.

И пошли слухи, все всё узнали, как в случае с Ниночкиным Изюмом, человек стал прозрачным и ничтожным (такова роль слухов), и два месяца сумасшедшего дома дали Владику возможность избежать судебного процесса за шантаж. Потом он уволился, принц со своими мужскими безумными мечтами.

Серьезные дела, а тут сны в птичьем краю о каком-то новом танце вдвоем в душном, темном зале среди праздничной толпы, когда щека к щеке, сердце к сердцу, одно склоняется, другое подымается на цыпочки, и светлые глаза утопают в черных, губы что-то говорят совсем близко... Колыбельная предполагает младенчика, но уже пролетели птицы над детским сном, спи, птичий край, спи, нет той лунной лужайки для красивых детей Маши и Владика, дети не родились, всё, баю-бай.

Вольфганговна и Сергей Иванович

Собственно говоря, надежд на брак у Татьяны Вольфганговны не имелось никаких. Шел уже тысяча девятьсот шестьдесят пятый год. Ей должно было исполниться тридцать лет!

Начать с внешности (Татьяна была похожа на Гёте, в честь которого, кстати, ее бабушка неосторожно назвала своего единственного сына).

Татьяна Вольфганговна получилась — в результате скрещения немецкой линии с русской — девушка высоченная, верующая, носатая, с небольшими честными глазками, работала она на фабрике игрушек в сугубо женском коллективе и из имущества имела только диванчик в бабушкиной комнате, часть шкафа, книжные полки и небольшой письменный стол, утыканный шляпками гвоздей (поработал в семилетнем возрасте братик, это была семейная легенда, как его оставили одного с только что купленной мебелью. Мама очень плакала об испорченном столе).

В другой комнате жили родители и маленький, но тоже уже носатый племянник, то есть полный боекомплект.

У старшего брата с женой имелась тахта на кухне, и на этом перечень житейских обстоятельств можно прикрыть.

Все у данной семейки было в прошлом, свои пароходы на Волге, ткацкие фабрики, министры-кузены, усадьбы и собственные издательства.

Сохранилась, однако, эмигрантская родня в Париже, которую тщательно скрывали и писем от которой боялись как огня.

Дед-то остался в вечной мерзлоте в ста пятидесяти километрах от Ванинского порта, перевал «Подумай», русский штат Колыма.

Семейство упорно отрицало свои корни, на фотографиях были грубо стерты, в частности, портреты Николая Второго, невинно висевшие за спинами, допустим, выпускников гимназии.

Была одна легенда, согласно которой прадедушка Митя под Новый, 1919-й, год возвращался в лютый мороз домой. Ему встретился пьяный солдат. Солдат велел прадедушке снять шубу и шапку, потом попросил подержать винтовку и, качаясь, напялил прадедову доху, а шинель, так и быть, оставил ограбленному. Когда прадедушка Митя явился домой к новогодней елке в обличье красноармейца, кухарка чуть не выперла его с порога. Набежала семья, с Мити быстро сволокли шинель и шишак, подозревая нехороших насекомых. Шинель хотели выкинуть. Однако больно тяжеленька она показалась старушке кухарке. И из карманов выгребли две кучи разномастных драгоценностей («бижу», как их определила старая барыня).

Потом кухарка, легендарная Катерина, ходила меняла их на жиры и мешочки муки, не доверяя субтильным хозяйкам.

Татьяна знала обо всех этих сказках и молчала, так уж была воспитана. В семье имелась одна драгоценность, бабушкины сережки, золотые, с ростовской финифтью, т. е. фарфоровые подвесочки с рисунком. Серьги бабушка держала в комоде в запертой шкатулке.

Далеко Татьяна Вольфганговна не продвинулась, в институт не прошла, хотя французскому и немецкому бабушка Вава ее обучала. Таня закончила простые курсы и стала разрисовывать кукол.

Единственный талант был у нее к гимнастике. Но и тут она не выделилась ничем, второй разряд был ее потолком: больно высокая вымахала.

В описываемое время Татьяна Вольфганговна по субботам и воскресеньям вела в клубе фабрики занятия по так называемой «пластике».

Бабушка Вава в детстве ходила в какую-то студию «Маяк», в результате чего унаследовала принципы Айседоры Дункан и сохранила выправку, методику и ноты и сама долго преподавала это дело, пока не слегла. Тане оно досталось по наследству.

Девочки, босые, в белых туниках, изображали какие-то вакхические танцы, и Татьяна носилась вместе с ними, воздевая к потолку свои гибкие руки.

Дети не могли выговорить ее отчества никаким образом, у них получалось что-то вроде лая и не совсем прилично. Она звалась просто тетя Таня.

Теперь второй персонаж этой истории, маленький крепыш, похожий на безрогого телка, Сергей Иванович.

А он, в свою очередь, преподавал в данном клубе рисование.

Он был фронтовик и художник без места, закончил училище, картины писал под кровать, а зарабатывал свои гроши именно по клубам.

Дети его любили и боялись. Буквально трепетали. Он был бесспорно талантливым педагогом.

Единственно, что Сергей Иванович почти не имел времени рисовать для искусства и потому вечно таскал при себе альбом.

В любую свободную минуту он присаживался и делал наброски.

У него была идея написать большое полотно на выставку.

Но тема была совершенно неподходявая (по его собственному выражению) для тех времен: он обожал Борисова-Мусатова, Павла Кузнецова, объединение «Голубая роза» и вообще другую эпоху. У него был любимый учитель, который окончил ВХУТЕМАС и втайне внушал своим ученикам дореволюционные идеи.

Правда, Сергей Иванович скрывал такие свои вкусы, живо бы погнали вон изо всех клубов.

Его картина должна была изображать пруд и нежных девушек в венках на берегу. И старую усадьбу вдали на горке: колонны, сирень, бирюзовые закатные небеса, розовый отблеск вечерней зари, эх.

Сам Сергей Иванович, даром что небольшого роста, был из старого дворянского рода, разве что папаша его явился из голодной Николаевской области в двадцатые годы учиться и женился на мамаше, которая была дочь лишенцев, ее семью к тому времени сильно уплотнили, выселив из квартиры в так называемом «бельэтаже» в комнату там же, в собственном шестиэтажном доходном доме, но на верхотуре, под чердаком.

Жили они на Пречистенке.

В ту же квартиру, в уголок в прихожей, явился подселенец на уплотнение, как тогда выражались. Он отделил себе треугольное пространство тряпкой на протянутой веревке. С ним тут же стал судиться другой жилец, чью дверь стало неудобно открывать. Он был комсомольский писатель и инвалид. Участились скандалы.

Этот приехавший будущий папаша Сергея Ивановича, Иван, утверждал повсеместно, что он из сельской бедноты, т. е. что чист в смысле происхождения, что было неправдой. Затем он также обманом женился (до того был женат) и въехал к будущей матери Сергея Ивановича в комнату, где проживали в страхе остальные недобитые члены ее семьи. Родился ребенок.

Дальнейшее показало, что после развода с мамашей папаша быстро покатился вверх по служебной лестнице, получил собственную комнату и съехал вон, стал профессором марксизма-ленинизма, парторгом и т. д., то есть или оказался самородком, или все-таки был иного происхождения.

Мамаша однажды сказала Сереже, что Иван Фомич (она называла мужа по отчеству) не тот, за кого себя выдавал. Там были какие-то темные дела, чуть ли не сбежавший на юг белый офицер с беременной женой. Офицера этого красные шлепнули на дороге, жену взяли в обоз, где она вскоре родила. Вот так на самом деле и появился Иван, по отчеству Фомич, поскольку отрядом командовал некто Фома, позднейший муж подобранной. По легенде, Фома воспитывал Ивана революционной рукой.

А Сережа, сын столь разных, хоть на поверку и благородных родителей, так и вырос в комнатке 12 метров в коммуналке на двадцать пять персон, где его соседом после войны оказался скрипач из консерваторской школы, находчивый еврейский юноша: он оборудовал свою койку железными мисками с водой. В них он засунул ножки кровати, чтобы клопы не лезли к нему наверх и тонули бы все как один в мисках. Свое изобретение он охотно демонстрировал. Клопы же в дальнейшем, как оказалось, обнаружив блюдца с водой, пошли на таран, полезли по потолку и сваливались на умного маленького скрипача сверху, с высоты четырех с половиной метров, и затем дневали и ночевали в матрасе.

Додя впоследствии стал звездой берлинской филармонии, солистом и дирижером, но это произошло не скоро.

Сережа, таким образом, жил под звуки скрипочки из-за стены.

Из года в год звук становился все качественней. Но Сережа никогда так и не сказал маленькому Додику, что он играет лучше, чем Ойстрах по радио.

Сережа был молчаливым пришедшим с войны парнишкой.

Мать его тоже говорила мало — то ли по природе, то ли их ко всему приучила советская власть, в частности, в лице майора КГБ Калиновского, который, вселившись в комнату по соседству (перед войной оттуда взяли мужа и жену), всегда чистил сапоги, задирая ногу на столик у их с Сережей двери.

Мама Сережи горбатилась машинисткой, родных не осталось.

Сережа перед войной, лет в тринадцать, пошел в районный дом пионеров в кружок рисования, где и встретил титана Серебряного века, своего учителя.

Для будущей картины Сергей Иванович все собирал и собирал материал, пока однажды, в декабре, его не вызвал Савва, директор клуба:

— Поможешь там девочкам из кружка пластики, они требуют какую-то декорацию к своему концерту на Новый год. Достали мы им бязи двадцать метров. Так уже прямо нету моей мочи! — вдруг воскликнул этот темпераментный толстяк.— Сделал доброе дело — седлай коня! Как говорится. Провертели башку! Ковер им другой сразу амором подавай! Пианино настройщика! Всё под Новый год! Вобла сушеная!

— Вобла?

— Татьяна Вольфганговна,— запнувшись, пролаял Савва.— Эта, длинная.

— А,— ответил Сергей Иванович и пошел в зальчик, где занимались пластикой.

Уже издали, сквозь музыку, был слышен легкий топот множества ног. Настолько легкий и невесомый, что как будто бы это были вереницы танцующих кошек.

Пианист играл что-то знакомое, из детства — «В лесу родилась елочка».

У Сережи защемило сердце. Додик уехал в апреле. Мама умерла полгода назад. Новый год будет без них...

Мама так любила испечь пирог с капустой, он у нее получался легкий-легкий. Додик обожал мамины пироги.

Сергей Иванович на этом вошел в репетиционную. Навстречу ему по полуистертому красному ковру, приплясывая на цыпочках и при этом обернувшись к пианино, летела с поднятыми вверх худыми руками девушка в белом.

— Вы к кому? — вдруг увидев его и остановившись, сказала девушка.— Вам кого? Сюда нельзя!

У пианино толпились тощенькие, как цыплята, девочки, все до единой в белом и тоже босые.

Да. И пруд с отражением кустов, и лиловая сирень, и розовеющие колонны на закате, и зеленое вечернее небо...

— Будьте добры, покиньте нас,— говорила тем временем чудесная девушка, подходя. У нее были бледные щеки и слегка растрепанная кудрявая головка. Босые ноги идеальной формы выделялись на темно-красном ковре, сияя как мраморные слепки. Она стояла перед ним, возвышаясь, словно бы богиня.

— Савва,— после паузы вымолвил Сергей Иванович.

— Это дирекция, вам на первый этаж.

— Савва декорации,— произнес Сергей Иванович с трудом.

— Что Савва декорации?

— Велел.

Она оглянулась на пианиста.

Молодой человек с шапкой кудрявых волос (вылитый Додик) махнул рукой:

— Ну мы же Савве говорили, что нужен настройщик, ковер и художник. Так, вы кто?

— Это,— сказал Сережа.

— А,— выдохнула, вдруг неизвестно почему заволновавшись, девушка.— Вы декорации?

Сережа кивнул.

Ему велели снять сапоги.

С войны Сергей Иванович ходил только в сапогах.

Хорошо, что носки были целые и чистые.

Ему объяснили, что нужно.

Ему показали двадцать метров солдатской бязи, сшитые по размерам задника сцены.

Всю ночь он ворочался на своем топчане.

Затем директор Савва вынужден был выписать Сергею Ивановичу краску. На складе была желтая, грубо-зеленая и ярко-синяя, в которую красили обычно кухни, с добавлением белил. Вот белил-то как раз и не было. Не было и краплака.

Сергей Иванович на свои последние купил недостающее.

Пять ночей, вплоть до субботы, Сергей Иванович малевал декорацию.

Еще одну ночь она сохла.

К утру он ее повесил в виде задника на клубную сцену и никуда не пошел — все равно сегодня занятия по рисунку и вечером должен быть их концерт.

ОНА пришла в три часа дня. Открылась дверь, и вместе с боем часов на Спасской башне (так ему показалось, а на самом деле это забилось его сердце) появился тонкий силуэт, бледное лицо.

Серые глаза вдруг вспыхнули:

— Боже! Какое чудо! Усадьба! Пруд! Сирень!

И ни слова о том, что нет Деда Мороза и леса.

Она снимала варежки, пальто, а сама все смотрела на декорацию Сережи, не в силах оторвать от нее своих небольших сияющих глаз.

Она была похожа теперь на какой-то из портретов Тёрнера — нежное продолговатое лицо, нос с небольшой горбинкой, туманный взгляд...

— Я вас буду писать,— вдруг произнес он те самые слова, которые приходят на ум каждому художнику, которому надо приударить за девушкой.

Она ему что-то радостно ответила.

Тем же вечером он привел на концерт свой выводок — десяток мальчиков с папками.

Найдя Татьяну за кулисами, он ей коряво объяснил, что его ученикам необходимо рисовать живую натуру в движении.

Потом спустился в зал, к мамам и бабушкам выступающих, и сел в первом ряду, держа на коленях заветный толстый альбом.

Сергей Иванович буквально следовал глазами за танцующей Татьяной Вольфганговной. Глаза у него бегали, как шарики пинг-понга, туда-сюда: в альбом — на сцену.

Он изрисовал почти всю бумагу.

Дома, ночью, Сергей Иванович наконец натянул холст на подрамник и начал писать портрет Татьяны Вольфганговны.

Стоит ли говорить, что перед тем он дождался, пока кончится концерт, все уйдут (пианист особенно долго копался) и Татьяна запрет зал, и затем проводил девушку до самого ее подъезда.

Они оба всю дорогу молчали. У дверей Сергей Иванович взял ее за варежку и прижал эту варежку к своей груди обеими руками.

Через недельку, на Новый год, дело было уже сделано, Сергей Иванович сидел у своей любимой в маленькой комнате и кургузо беседовал с ее бабушкой Верой Антоновной.

Вдруг выяснилось, что эта бабушка знавала семью его бабушки, нашлись даже какие-то (в пятом колене) общие родственнички Синцовы, ничего хорошего, кстати.

— Москва такой маленький город,— удовлетворенно говорила неходячая бабушка, сидя в кровати.— У нас была мануфактура и пароходы, эфто у дедовой родни в Нижнем, а у бабушки тверское поместье, таврические земли. Дача в Крыму сгорела. Дед был товарищ министра, адвокат... А у вас был генерал-губернатор со стороны прадеда... Черниговский, кажется...Вы скрывали, конечно, но мы-то знали! А с вашей бабушкиной стороны ее бабка из города Нассау какая-то мелкая баронесса... Да половина все немцы у вас в роду,— горделиво произнесла бабушка.— Я сама преподавала немецкий.

Неожиданно для себя Сергей Иванович произнес на этом языке некоторую фразу, которая вдруг всплыла в его памяти.

Май сорок пятого года, Потсдам. Сергею Ивановичу как раз исполнилось накануне девятнадцать лет...

Из соседней комнаты вдруг так чудесно запахло, что у Сергея Ивановича заболело под щеками и выступила слеза.

— Опять у них пирог с капустой перестоял! — покачала головой бабушка.

— Доннер веттер,— откликнулся Сергей Иванович.

— Я-я,— подтвердила бабушка и помолчала.— Вы знаете,— вдруг заговорила она.— У нас был такой смешной случай. Мой папа Митя, Дмитрий Николаевич, шел как-то из своей адвокатской конторы... Дело было как сейчас, под Новый год... Под девятнадцатый, кажется. При новом уже прижиме. Папа Митя потом умер в Бутыгичаге, царство ему небесное...

И бабушка рассказала Сергею Ивановичу всю историю про доху, но мы уже с вами ее знаем.

Затем бабушка велела ему достать из комода шкатулку, открыла ее ключиком, вынутым из недр халата, ключик же был привязан на грязноватом белом шнурке (явно из-под довоенных парусиновых туфель) к булавке, приколотой с изнанки кармана.

Сергею Ивановичу живо припомнилась старушка мама, которая все карманы закалывала булавками, свято хранила старые ключи и благоговейно относилась к картонным пакетам из-под молока, мыла их дочиста и использовала как хранилища...

Затем на свет божий явились две сероватые тускло-голубенькие сережки с золочеными дужками.

— Это вам с Таней на квартиру. Я берегла. Кто ей поможет в эфтом деле, кроме меня. Кооператив построите. Я скоро уйду, комната освободится, эфти поживут хоть не на кухне.

Сергей Иванович отвел глаза. Сережки стоили ровно три копейки в базарный день. В училище им преподавали ювелирку.

Бабушка говорила:

— Я тороплюсь, не ровен час. Это тесто с масляной краской ты смоешь керосином. Там внутри бриллианты. Понял? Только ты будешь знать этот секрет. Таня немедленно все раздаст. Ты уже сделал ей предложение?

— Да, вчера.

— Она мне призналась. Я же вижу, что с ней происходит. Не спит. Так что это ее приданое.

Глаза бабушки сияли. Она вдруг громко заорала:

— Кушать подано?! Сколько можно! Хочу шампанского и дьявольски хочу винегрета!

И она вложила в руки Сережи коробочку своими холодными лапками. И пожала.

P. S. Недавно я надписывала книги сказок двум внукам Татьяны Вольфганговны и Сергея Ивановича. Внуки, Вава и Митя, носились как бешеные с новым оружием: из дома только что уехала шумная французская родня...

Вот вам история об идеальной девушке, воспитанной идеальной матерью и утонченной, идеальной бабкой-пианисткой. Интеллигенция, причем еврейская интеллигенция.

Все три — красавицы. Причем бывают такие лица без национальности, и у них были именно эти лица, и с годами их красота не меркла.

Бабка была из тех прелестных старушек, перед которыми расплываются в улыбке даже самые отпетые прохожие, пассажиры в городском транспорте и продавщицы. Как удачный, добрый и красивый, да еще и трогательный младенец она была. Разум свой удачно скрывала. Руки берегла, даже летом ходила в шерстяных митэнках, ударение на «э», в таких перчаточках с отрезанными кончиками. Бывшая знаменитая консерваторская красавица.

Мать удалась попроще, к старости располнела, работала врачом в клинике, в серьезной, страшной клинике, среди неотступных трагедий, в мире сумасшедших.

Они, больные, ее любили. При ней становились здоровыми, не помнили ни преследований, ни врагов, ни раздающихся в пространстве ушей четких приказов, ни излучений с потолка, от чего одна защита, привязать сверху на макушку резиновую грелку.

Трудно сказать, что она их любила. Она им помогала жить в условиях клиники, держала в отделении таких же, под стать себе, врачей и безусловно героический, пожилой и преданный младший медперсонал. Даже пьющие санитарки ее боготворили.

В ее тайных пациентах ходили и великие музыканты, и баснословно знаменитые поэты и писатели, художники всего что Бог послал, ублюдки человеческого рода, хромые как бесы, кривые, припадочные, бессонные, с тягой к наркотикам и азартным играм, к суициду как результат. Патологически ревнивые извращенцы, убийцы, страдающие как простые инвалиды, тревожные крикуны, невыносимые для своих жен, детей и разнополых любовников.

Она никогда не произносила их имен, но на верхних полках стояли улики, подписанные книжки и пластинки.

У нее у самой была одна слабость, как у многих великих женщин (она была великий врач). Марья Иосифовна любила свою дочь, безмолвно и ненавязчиво. Она вытирала за взрослой девочкой пол в ванной, приносила ей чашечку чая по утрам в постель, никогда не делала замечаний — никогда.

У девочки и так было много проблем в школе, учителя не желали принимать ее врожденного чувства превосходства, которое выражалось в полном смирении и великой вежливости.

Училки воспринимали все это как издевку, и они были недалеки от истины. Срывались на крик.

Дети — те перед ней преклонялись, девочки вечно клубились вокруг Кати, мальчики пристально, уперто смотрели с разных концов класса.

Проблемы были, как водится, с физкультурой.

Пришел новый жесткий учитель, нагнал на всех панику, что будет ставить двойки.

Катя была диванный ребенок, ленивый и грациозный, ей не полагалось бегать кругами, высунув язык, или сигать через козла, растопырившись. Не та природа. Тем более лазить по канату как мартышка или по-мужицки швырять диски куда попало — а эти виды спорта входили в обязательный набор упражнений, за которые ставились оценки.

Даже вообразить себе это было невозможно: Катя бегает как угорелая.

Она, правда, пыталась, и потом подруги ласково над ней хихикали, изображая эту семенящую походку и озабоченный вид.

Катя забастовала, перестала ходить в школу, ничего не объясняя матери.

Дело было, разумеется, в мальчиках, которые толкали друг друга локтями и укромно, зайдя за чужую спину, гоготали, кивая подбородками на Катю.

Мама ей, как врач, легко достала особождение, диагноз был какой-то сложный и нечитаемый, но речь шла о больных ногах.

Что оказалось пророчеством.

Теперь на всех уроках физкультуры Катя сидела на низкой скамеечке в спортивном зале и читала, и все мальчики щеголяли выправкой и сноровкой. Были настоящие состязания в виду такой маленькой прекрасной дамы! С выкриками, хеканьями, о-па! Чтобы она оторвалась от книги и посмотрела своими прекрасными синими глазами из-под пшеничной челки.

Еще в детстве она была похожа на розовую ренуаровскую девушку.

Катя легко, но с большими сомнениями поступила в один институт, занялась почему-то математикой. Потом перебазировалась в другое заведение, изучать языки (она и так знала два).

То есть пошла по линии наименьшего сопротивления. Это уже была ее знаменитая инертность.

Другие зубрили, старались, занимали столы в лингафонном кабинете, а она жила задумчиво, не спеша, не проявляясь. Скрывала себя. Таилась.

Многие из мужской молодежи, наоборот, заинтересовались ею, причем в основном самые энергичные, спортивные, дурачье, одним словом.

Не находилось для нее ровни, тем более в ее институте, где ребята были уже после армии. Взрослые, грубоватые, целенаправленные дрова. Низшая раса.

Катя закончила институт, пошла работать в библиотеку, в иностранную периодику, очень посещаемый зал, отборная интеллигенция, в том числе и богема.

И тут Катя влипла, влюбилась в игрока, картежника, преферансиста (еще и бридж с бильярдом) и завсегдатая бегов.

Она привела его домой, старше себя на добрых семь лет, в анамнезе два сотрясения мозга, сотрясы и черепа на жаргоне травматологов (он работал в больнице санитаром).

При мужчине был чемодан.

Мария Иосифовна диагностировала (молча) психопатию, эпилептоидность и многое другое. Напрасный труд было бы просить его провериться на

Вассермана и т. д. К жениху таких требований не предъявляют.

Гром грянул, когда Катя заболела и скрывала симптомы от матери, пока не пришлось идти на аборт (явно по наущению подследственного). Аборт был, разумеется, на его условиях, т. е. не в больнице, а через знакомых Антона, дорожка уже была для него проторенная, видимо. Не в первый раз отводил девушек.

Мать обо всем догадывалась (чего стоила утренняя Катина тошнота!), безропотно давала деньги. Вынуждена была вести нескольких больных на дому за гонорар, чего раньше себе не позволяла (книжки и пластинки, и только!).

Рассеянная Катя, однако, по своей привычке все разбрасывать выкинула ампулу мимо мусорного ведерка.

Мама подметала, мыла и убирала, в том числе и полезла со своей седой головой в шкафчик для этого ведерка, она всегда все вылизывала как простая санитарка (бабка к тому времени уже почти не ходила, сидела в своих митэнках у телевизора и кротко высказывала всегдашнее недовольство уровнем музыкальных программ).

Мать поднесла ампулу к своим близоруким глазам. Разговор у нее был только с Антоном, она его вызвала во двор. Антон, улыбаясь своей заманчивой улыбкой, обвинил во всем Катю. Как и полагается. Дескать, она заболела еще до него, добрачные связи и что вообще творится в библиотеках.

Психиатр, блестящий диагност, да еще и владеющий всеми техниками какие полагаются, Мария

Иосифовна сделала невозможное — Антон убрался вон и навеки.

Может быть, и из жизни, кто знает — дар убеждения у Марии Иосифовны был выдающийся.

Собственного жилья у него вроде бы не было, какой-то жене с ребенком все оставил, перекати-поле от бабы к бабе, даже три года зоны имелось в досье, как он в порыве откровенности признался Марии Иосифовне.

— Вас срочно вызвали в командировку,— посоветовала ему она.

Катя тем же днем потащилась на анализы, а когда вернулась, на столе лежала записка от ушедшего. Мария Иосифовна ее не читала принципиально, сидела в кухне, пока Антон собирался и калякал, улыбаясь как игрок, свое последнее «прости», вышла только в прихожую взять у него ключи. Он сбежал прочь по лестнице даже мимо лифта. Она сползла следом за ним, почти мертвая. Хотела удостовериться, что ушел.

Катя прочла, легла. Не умерла, но застыла.

Мать выписывала ей бюллетени в своей клинике, а что делать, только там дают освобождение на месяцы. Через сто двадцать дней надо было или увольняться с работы, или брать инвалидность по шизофрении.

Катя лежала. Мать сходила, снесла ее заявление об уходе, написанное собственноручно.

Катя лежала, даже не читая. Лежала в обнимку с телефоном. Услышав не тот голос, просто клала трубку. Не ела.

Мать начала ставить ей капельницу с глюкозой и витаминами. И, видимо, расходовала все свои силы, поддерживая дочь при жизни. Почернела, хотя сохраняла ровное, благожелательное отношение к окружающим, особенно у себя в клинике.

Дела шли все хуже.

Для такого случая восстала из пепла бабушка, Анна Ионовна. Она села сиделкой при Кате. Поддерживала ее, когда ей надо было выйти. Обе были одинаково истощены.

Катя была неглупой девушкой и в конце концов соединила концы с концами — то ли Антон все-таки подал ей знак из своего небытия. Нет, скорее она сама догадалась, почему ему пришлось исчезнуть.

И внезапно Катя перестала разговаривать с матерью.

Через некоторое время бабка пошла за газетой к почтовому ящику и принесла ей конверт без обратного адреса.

Это был пустой заклеенный конверт!

Но почерк, почерк был Антона!

Катя вдруг ожила, даже начала вставать и выходить из комнаты. Чуть ли не была предпринята целая экспедиция «на воздух». Катя к чему-то тайно готовилась.

Катя не знала, что почерк Антона был скопирован Марией Иосифовной со старого пустого конверта, аферист оставил его впопыхах на полу под письменным столом. М. И., вылизывая комнату дочери после ухода самозванца, конверт этот нашла и припрятала. Письмо было написано с зоны, адресок присутствовал, то есть пациент не соврал. Только дата на нем была свежая: едва ли полгода прошло после отсидки, а добрый молодец уже нашел себе Катю, девушку с квартирой.

Письмо было адресовано тоже девушке, видимо, но без адреса: на Центральный телеграф до востребования, Худайбердыевой Е. Г.

Причем письмо явно дошло и было затем отдано автору при встрече. А возвращение писем обычно свидетельствует о гневном и нарочито демонстрируемом разрыве. Любящие обычно берегут адресованные им письма, это очевидно. А равнодушные их просто выкидывают.

Насолил Антоша, насолил этой Е. Г. Но она его тоже любила. Специально пришла бросить ему письмо в лицо.

Теперь: Катя собралась выходить из дому!

Причем бабушка Анна Ионовна видела, что Катя роется в справочнике, явно ищет какой-то номер телефона — что само по себе огромный прогресс по сравнению с предыдущей апатией. Она нашла что ей было надо, далее попросила атлас Москвы. Искала определенную улицу, сообщила Анна Ионовна своей измученной старой дочери.

Мария Иосифовна поняла, что девочка ищет то отделение связи, куда в почтовый ящик было опущено поддельное письмо.

Но сил встать и пойти у Кати не было.

Между матерью и дочерью опять пошли разговоры. Короткие, только по делу. М. И. предложила Кате ставить ей капельницы, чтобы возобновить прежний уровень и поправить цвет лица. Была вызвана лаборантка, взяла анализ крови.

Катя была, что называется, уже здорова «по венере», но слаба как выкинутый на помойку недельный котенок.

В капельницу М. И., разумеется, стала добавлять нужные препараты. Очень осторожно.

С течением времени Катя окрепла, встала, исчезала из дому, затем даже дело дошло до того, что она, совершив огромное усилие, вернулась на свою прежнюю работу (именно там она и встретила впервые своего Антона).

Она была взята в тот же самый зал, но теперь на полставки, вместо одной сослуживицы, ушедшей в декрет.

Видимо, Кате было важно встать на тех путях, по которым предположительно может еще раз пройти Антон.

Вместо Антона (велика сила женской красоты!) появился Глеб, ему нужны были на дом журналы по специальности. Катя вынесла ему эти журналы. Он их с благодарностью вернул. Затем долго пахал твердую почву, чтобы залучить Катю в кафе (все переговоры велись по телефону, домашние слышали).

Дальше больше — осмелился и пригласил Катю в свою компанию на дачу, как раз на Новый год.

М. И. поставила Кате капельницу с долей очень важного препарата под предлогом дозы витаминов для поддержки сил, и Катя вернулась домой утром явно после ночи любви, с синевой под своими синими глазами и с явно набухшими губами. Так что ожидаемое стряслось.

Глеб, небольшой, настырный, некрасивый, но вылитый головастый сперматозоид, одолел сопротивление Кати, и она теперь ходила с ним куда он хотел совершенно безголовая, воплощенный секс-символ, глаза сонные, губы набрякшие как с мороза. Они, не

стесняясь, запирались в Катиной комнате на какую-
то новую щеколду, после чего следовали скрипы,
бурные сотрясения и напоследок ритмичные быст-
рые удары.

Всё! Сыграли свадьбу.

На пиру Катя, вдруг как бы опомнившись, ушла
на лестницу плакать. Мать Кати и бабка уже откоче-
вали домой сразу же, как только позволили прили-
чия.

Родители Глеба, широкогрудый подполковник
Иван Петрович какой-то, и мама, Эмма Яковлевна
такая же, были люди простые, даже нарочито какие-
то простецкие. Они тут же за столом, как только новая кума с матерью ушли, буквально минут за пять
безобразно поругались с сыном и практически вы-
гнали его вон из дому (а до этого Глеб хлопотливо
планировал привести жену к себе в комнату, отцик-
левал и покрыл лаком пол и т. д., и родители не про-
тестовали — но поссорились с сыном, что делать!).

Глеб оделся, затем, по его словам, сгреб одежку
жены, подхватил плачущую Катю на лестнице, одел
ее, поймал машину и отвез молодую к ней домой
обратно.

Там он все рассказал Марии Иосифовне и старушке Анне (Марии Иосифовне всегда все окружа-
ющие рассказывали абсолютно всю подноготную,
причем она этого вовсе могла и не хотеть) и остался
жить, что делать, в чужом доме.

Хорошо еще, что пресловутый Антон так и не женился на Кате в свое время, она это объясняла тем,
что милый не хочет травмировать своего ребенка
разводом.

Катя проплакала до утра.

Мать к ней не заглянула ни разу.

Через восемь месяцев у Кати родилась девочка, которую Глеб все ночи носил на руках, чтобы хоть она не плакала. У ребеночка была грыжица.

Второй ребенок, сын, родился через два года и был, что удивительно, вылитый Антон!

О чем сразу же сказала сынуле Глебу его многоопытная мамаша Эмма Яковлевна: «Сын не твой, не наш».

Тем не менее и этого ребенка Глеб носил ночами на руках.

А Катя меркла, гасла, погибала, вместе с ней умирала и ее бабушка и умерла.

М. И. держалась как всегда — приветливая, ровная, скромная как английская королева.

Зять Глеб ненавидел ее люто, со временем он стал близко к сердцу принимать тщетно скрываемое превосходство тещиной семьи над собственной, материнско-отцовской, простодырой.

Свою мать, практичную, говорливую Эмму Яковлевну, он ставил много выше.

В свое время молодая Эмма так опутала, обротала Ивана, этот громокипящий кубок, гениального военного инженера, самородка из мордовского села, что увела его от жены и сына, и больше о них не было ни слуху ни духу до тех пор, пока та жена не умерла, оставив сына-подростка в одиночестве. Второй сигнал пришел, когда того Ивановича по молодости посадили, и он отправил отцу из зоны весточку, чтобы ему, видите ли, присылать посылки.

Эмма все это пресекла мигом.

Тот сын возник еще один раз, был спроважен и, по слухам, погиб.

Эмма была в прошлом училка чего-то типа географии. Маленькая, подвижная, не скрывающая ни одной из своих мыслей, грубая как сама жизнь. Муж был ею зачарован.

Она знала свое дело и подтачивала, пилила самые основы жизни своего сына, истончалась его доброта, широта души, щедрость, его жалость к вечно больной жене, его любовь к деточкам, которые оба страдали пупочной грыжицей и не должны были плакать, надрывая свои и без того слабые животики. Всего этого лазарета та мамаша не переносила, ревновала к таким сердечным порывам Глеба, окорачивала его, ехидно раскрывая ему глаза, поскольку эти чувства направлены были на чужих! Не в семью, а вон из семьи! Не ей, матери, а посторонним!

Она эти монологи произносила прямо в квартире Марии Иосифовны.

Она предполагала, что у Кати гонорея последняя стадия, сделай, сделай ей анализ!

Видимо, Катя рассказала Глебу в минуту особенного доверия свою предыдущую историю, а он, не моргнувши глазом, тоже под влиянием хорошей минуты раскрыл тайну мамаше.

Она также утверждала, что дети (оба) не его, что им как дураком пользуются! Женился на путане!

В конце концов Глеб остановился между матерью и женой как бы в безвоздушном, пустом и выжженном поле нелюбви. Он презирал мать и верил ей, он любил Катю и подозревал ее.

Стал пить.

С матерью расплевался. Она звонила М. И. и стеклянным звонким голосом говорила ей несусветные гадости о ее проститутке-дочери и о ее сожителе из зоны (тоже, оказывается, все было ей известно).

Домой к жене Глеб вваливался с руганью. От него смердело. Часто валился в прихожей и там засыпал, приклеившись к полу. Его диссертация застряла.

И Мария Иосифовна внезапно умерла.

Странная это была смерть, на дежурстве в клинике.

Причиной смерти была сердечная недостаточность, как это обычно пишут. Неизвестно отчего все произошло. Буквально на пустом месте. Просто остановилось сердце, когда она сидела у себя в кабинете за письменным столом.

Ее врачи на похоронах стояли буквально черные, ненавидящие. Они подозревали нехорошие дела. Почему, непонятно. М. И. ни единой душе, совершенно никому не рассказывала о том, что у нее творится в доме.

Но от людей ничто не спрячется.

Глебовы родители тоже присутствовали на похоронах, демонстрируя губы скобочкой и непроизнесенные опасные слова.

Тем не менее семья Кати сохранилась.

Глеб бросил пить после похорон, как отрезало. Даже за упокой не выпил. Родителей попросил не ходить на поминки, мать просто не пустил, когда она нахально позвонила в дверь (отец прятался на лестнице).

— Мы что, не родня? — закричала она.

* * *

Катя работает в библиотеке, стала заведующей залом.

Материнская душа как будто поселилась в ней.

Спокойная, благожелательная, она почти не может ходить и всегда окружена кольцом любящих сотрудниц.

Муж приезжает за ней на машине и несет ее на руках вниз по лестнице, усаживает, а потом и дома несет вверх до лифта.

Все утряслось, отстоялось, пришло в свои берега, дети растут и приезжают делать уроки, торчат в библиотеке у мамы, а Эмма сидит дома и пророчествует, выводит на чистую воду, звонит сыну и попрекает его, что он ее бросил, и в том числе прорицает, что в детях Кати дурная, плохая кровь, раз их бабка покончила с собой.

Откуда-то она это взяла, может быть, витало на похоронах, кто-то обмолвился — или она словила из воздуха страшную догадку врачей.

Во всяком случае, Эмма твердит, что Марья остановила себе сердце ради дочери, без таблеток, а одной своей силой. Почуяла, что из-за нее, из-за ее собственной дурной гордости зять бросит семью.

— Но куда, ты их не бросишь, ты не в этого идьота, ты в меня! — звонко вопит она в трубку.

Сын терпит и не отключает мать, хотя слушать эти речи непереносимо.

Как много знают женщины, как много.

С горы

Удивительно воздействие группового существования вдали от реальной, повседневной жизни, от дома и родственников. Вся тяжесть обыденности как-то исчезает вкупе с проблемой где взять денег: ты устроен, ты здесь на срок — на неделю, на время отпуска и т. д.

Тут и подстерегает человека иллюзия, что так и должно быть, от завтрака к обеду, от ужина к ночи, и одна забота — выглядеть все лучше и лучше, и уже находится кто-нибудь, кто оценит, восхитится, а отсюда недалеко и до восхищения тем, кто восхитился.

Мы наблюдали — мы, живущие напротив их большого дома отдыха,— эту женщину, которая выглядела отталкивающе вульгарной и именно что бросалась в глаза. Она много хохотала, отправляясь, скажем, на автобусе в компании мужчин своего рабочего дома отдыха куда-то на базар за фруктами или к местным за банкой их вина — как мы все это делали. Она во главе своей стаи, и вот вам вид: коротковато острижена, какие-то парикмахерские пружинки, дешевая завивка, мертвые волосы после свежесделанной химии, далее: выщипанные и выкрашенные сине-черной краской бровки, рот намазанный, разумеется, но тоже как-то дешево. Вся красота, как говорится, из аптеки рупь двадцать баночка. Короткая юбка, босоножки самого дешевого и пошлого вида, но с покушениями на моду, это слова прошлого века, довольно-таки точные: с поползновениями быть как все, не хуже других, не отстать ни в чем. Она покушалась, бедная бабенка, на счастье, хотела вкусить, оторвать себе клочок настоящего, не доступного ей счастья и той жизни, которую они все видели в телесериалах.

Итак, море, солнце, а у нее модные босоножки, крутая завивка, бровки, черные очки и тут же (внимание!) толпа восхищенных самцов, с ними она едет на базар.

Мужская сторона, как это бывает на собачьих свадьбах, разношерстная, четыре особи, один высокий, тоже во всем праздничном, в сером костюме по такой жаре, то есть надел самое лучшее, далее один дядечка из племени пузатых в простой майке, один молодой ни к селу ни к городу с длинными волосами и некто совсем маленький (непременно маленький позади всех, штаны пузырем), этот последний явно с надеждой выпить по такому случаю.

Она, эта всеобщая Кармен, хохочет, но не так грубо, как можно предположить, не заливисто с подвизгом, на манер пьяной веселой бабенки, которая зовет и зовет всех кого ни попадя, всю округу, ибо смех есть их призывный вой. Кармен же хохочет коротко и приглушенно, не слишком явно, не двадцать же человек собирать, и так многовато уже. А высокий мужчина в сером костюме идет с ней голова в голову, первым в этой своре, серьезный голодный самец при параде, с самыми жесткими намерениями по поводу остальной стаи.

Серьезность вообще более значима и весит много больше, нежели раскованность и свобода, легкость и веселье. Серьезность правит бал и тут, как везде; и к серому так и приклеивается кличка Первый дядечка.

Кармен и Первый дядечка затем всюду мелькают вместе, остальная собачья свадьба пропала, провалилась сквозь землю. Первый дядечка наконец расстался с серым костюмом и ходит в серьезных серых шортах, в кепке и в майке, купленных здесь,— видимо, это она ему выбрала, они уже семейники (так называют в лагерных зонах однополые пары, ведущие общее хозяйство).

Семейники Кармен и Первый дядечка ходят уже спокойно, она больше не хохочет, он носит ее сумочку, они как на работу идут в столовую, серьезно на пляж, как по делу едут в автобусе на рынок, это всегда тесный автобус, они тесно стоят, прижавшись друг к другу в давке, она снизу (маленькая даже на каблуках) взглядывает на него, но достигает глазами только его носа (это видно), в глаза ему не смотрит. Первый признак, что она влюблена, внимание. Он вообще глядит поверх голов, высокий дядечка, оберегающий свою маленькую самку в толпе, и это так становится явно, что они двое любят друг друга и отделены ото всех; и толпа их тоже как бы отбраковывает, не одобряет, отшатывается — даже в общей свалке они какие-то обреченные, не свои.

Да, это с ними произошло, самое большое несчастье. Печаль светится в их глазах, чуть ли не слезы стоят.

Причем за отчетное время она, Кармен, как-то поутихнув, приобрела мягкость и некий золотой ореол (то ли юг повлиял, загар). Волосенки ее выцвели, распрямились слегка, легли белой волной, раз. Второе, что кожа потемнела, глаза посветлели и просияли. Стройненькая, ладная, не хуже никакой кинозвезды, наша Кармен вся светилась любовью, жалостью, как будто растерялась, потерялась,— а Первый дядечка как раз совсем не изменился, хотя тоже загорел.

Но загар на рабочей кляче, на мужике, который вечно все тянет на себе, весь мир,— этот загар не меняет ничего. Зимой работяга выцветает, летом чернеет, всё.

Однако и на нем уже была эта печать страдания, прощания, тоски, которая сопровождает любовь.

Как бы летя с высокой горы, человек сжимает губы и каменеет, прищурены глаза, сердце падает, вся воля направлена на последний удар о подножие — но не остаться в живых, нет, тут не об этом идет речь, а речь идет о приближении чего-то пострашнее, и тут человек одинок. Рядом мчится вниз его любовь, и она должна растаять в другом направлении, сейчас пути разойдутся. Дело не в личной смерти, не о том идет речь, дело именно в вечной разлуке.

Они еще топчутся, вцепившись друг в друга, под какую-то дикую музыку молодежи в толпе танцующих, у него на локте висит ее сумочка, далее они лежат последние дни у моря. Но не где весь народ, не где лежаки и зонты — а дальше, пара уходит в даль, там никого нет, и скоро и эти двое совсем растают в золотом слепящем свете, исчезнут: новый заезд в доме отдыха.

Их уже нет, на пляже бестолково топчутся новые белые тела, крикливые, ничьи, сами по себе, эгоистические свинюшки, рыла, а нашей чудесной пары тут нет, и Кармен, золотая блондинка, и ее верный муж, Первый дядечка, высокий, жилистый, черный,— они канули в вечность, летят где-то в мерзлой вышине, в разных самолетах домой, в свои места, к своим детям и супругам, в зиму, снег и труд.

Только Кармен будет бегать на почту до востребования с паспортом, а Первый дядечка вызовет ее телеграммой на переговорный пункт, и там, по междугороднему телефону, они снова сольются душой, заплачут вместе через тысячи километров над своей судьбой и будут плакать и что-то кричать ровно десять минут, сколько он заказал и оплатил,— как тогда, летом, когда было оплачено ровно двадцать четыре дня. Они будут кричать и плакать, обманутые иллюзией отдыха, вечным светом рая, соблазненные и покинутые.

Нагайна

Дело происходило, как оно происходит всегда, вышли вместе из духоты зала, отыграла музыка, кончен бал.

Девушка явилась на этот бал как-то по-своему, она была здесь явно посторонняя и не объяснила факт своего появления ничем. Да ее никто и не спрашивал. Тот, с кем она вышла наружу, совершенно точно не собирался ни о чем спрашивать: девушка увязалась за ним, буквально привязалась. До того она прыгала в толпе как все, то есть изгибаясь, при этом ломала якобы руки, свешивала волосы как плакучая ива, все как у всех, только лицо было какое-то сияющее. Он обратил внимание на это сверкающее лицо в толпе остальных девушек, которые вели себя более-менее одинаково, как пьяные весталки на древней оргии, на какой-нибудь вакханалии, где под покровом тьмы единственной одеждой остается венок.

Правила на таких праздниках всегда одни и те же во все времена, серые самцы и яркие самочки, и эта особенная девушка тоже не была исключением, она приоделась в некое подобие переливающейся змеиной шкурки.

Но лица у всех оставались искаженными той или иной степенью страсти, а у этой сияло непосредственной радостью. Такое было впечатление, что остальные были равнодушными хозяйками на празднике, а эта пробралась с большими трудами, ей удалось, и она была счастлива.

Тот, кто вышел впереди нее, был спокоен, угрюм. Он и на этот осенний бал явился непонятно зачем, его тоска не требовала ни музыки, ни плясок. Он презрительно стоял у стены, пил. Не шевелился. Он тут был как бы мерило власти. Осуществлял эталон скучающего хозяина.

Девушка в змеиной шкурке остановилась рядом с ним, плечом к плечу, и тоже замерла, как будто обретя покой. И так и осталась стоять.

Хозяин своей судьбы на нее даже не поглядел. Она тоже на него не взглянула, только тихо сияла.

Зачем она ему была нужна, вот вопрос. Эта радость, бессмысленный свет, покорность, готовность.

Таких не берем! Он постарался всем своим видом выразить немедленно возникшее в ответ чувство протеста, высокомерно, как каждый преследуемый, повернулся и пошел вон.

Как только он стронулся с места, она, разумеется, потащилась следом. Он надел свое пальто, она — шубку.

Вышли в туман.

Серые ночные просторы открылись, массы холодного воздуха окружили, надавили, хлынули в лицо. Даже моросило.

Она шла рядом, поспевала, он двигался сам по себе, она при нем.

Он опять-таки всем своим видом выражал, что идет с целью вернуться домой, причем один. Ускорил шаг.

Она семенила за ним, буквально как собачка на прогулке, явно боясь потерять хозяина.

Вот кому такие нужны? Он мельком взглянул на нее. Мордочка хорошенькая, фигурка прекрасная, ножки длинные, все как надо. Но лицо! Сияет счастьем буквально. Как будто ее похвалили, причем она этого не ожидала и обрадовалась. И прилипла!

Он нехотя сказал:

— Ко мне нельзя.

Она молча бежала рядом, не меняя выражения лица. Восторженного причем!

— Ты поняла?

Она в припадке обожания молча кивнула.

— Так куда же ты потащилась?

Она схватила его за локоть и теперь шла как бы под ручку с ним. Здрасте!

Он специально пристально посмотрел на нее. Убрал локоть.

— Ты что?

Она со счастливым лицом бежала рядом.

— Я говорю, что ко мне нельзя!

Она наконец сказала:

— Ко мне тем более.

Голос низкий, грудной. Умный.

Никому не нужная поспешает неизвестно куда. В общаге дежурный ее не пропустит. А к тебе я и не собирался!

Он знал эту породу прилипчивых, любящих существ, этих маленьких осьминогов, готовых оплести и задушить. Они обвивали, не отставали, обнаруживали его в любом месте, преследовали, готовы были на все. Что-то они все находили в бедном студенте. Звонили на пост к дежурным, устраивали засады в библиотеке, в столовой.

— Ну все, мне сюда,— сказал он и махнул рукой в сторону бокового проспекта.

Огромные серые ночные просторы, пронизанные сыплющимся повсюду туманом, кое-где освещенные блеклым сиянием фонарей, открывались по сторонам. Пустынные окраинные места! Окаянный холод, предвестник зимы. Редкие огоньки горели вдали в темных жилых массивах.

Разумеется, она повернула следом за ним.

Там, в тех сторонах, были новые общежития, городские выселки, вообще тьма. Там стояли еще не очень освоенные городские кварталы, там почти никто не жил, в той отдаленной глуши.

Он как бы пожал плечами, снимая с себя всякую ответственность (как она поплетется домой, когда ее завернут от дверей, в наших краях и такси не найдешь).

Он скривил свой мужественный рот.

Прилипала бежала рядом сияя. Лицо ее буквально сверкало во тьме.

— Зовут тебя как? — вдруг спросила она низким голосом.

— Анатолий,— пошутил он. На самом деле его звали иначе, но приходилось таиться. Мало ли бывало случаев, когда прилипалы находили его по имени.

— Ты учишься?

— Да.

— На каком?

— На географическом.

Он тут же придумывал себе легенду.

— На каком курсе?

— На пятом.

— Тогда непонятно,— вдруг сказала она.

— Что тебе непонятно?

— Все непонятно.

Его сердце забилось: вот оно, начинается преследование!

Она продолжала допрос, он продолжал придумывать.

Почему-то ему не приходило в голову просто промолчать.

Дело доехало до того, что он рассказал о своем дипломе (Индия, запрещенные к въезду штаты), о своем плане получить грант и поехать туда, в Нагаленд.

Это была не его жизнь, а отдаленные мечты. Когда-то у него была любовь с индуской Ирой, взрослой девушкой-нагайной из штата Нагаленд. У нее как раз был грант на изучение русского языка. Потом он закончился, и Ира уехала.

Голос его выдавал все новые и новые подробности жизни запретного штата — как там охотятся за черепами и выставляют их на частоколе вокруг хижины, как змеи ползут к коровам на вечернюю дойку и просят у женщин свою порцию, как свои змеи охраняют детей от чужих гадюк и охотников за черепами из соседних деревень.

Ира вообще-то уже была совершенно другой, цивилизованной студенткой, христианского вероисповедания, она жила в Дели в домике на плоской крыше четырехэтажного древнего дома, в мусульманском районе. Спокойно спала в пять утра под оглушительные призывы муэдзина с соседского минарета. Готовить не умела, разве что «дал» (фасоль), и то извинялась, что недоварила. Питалась в студенческих забегаловках или просто на улице. Уехала с родной реки, полной водяных змей, в пятнадцать лет, с горстью бабушкиных драгоценностей. Училась уже во втором университете, знала множество языков. Но ее квартиру на крыше постоянно обворовывали, поскольку жители дома днем на раскаленную верхотуру не поднимались, прятались в недрах у подземного колодца, и сторожить было некому. Так что все деньги и бабушкины драгоценности украли, а приехавшие полицейские за осмотр взяли последние триста рупий. И Ира со смехом рассказывала, что привезла туда из родных мест змею. Которая любила покрасоваться на видном месте, на подоконнике, и была совершенно безобидна для людей, питалась мелкими птичками. Ира крошила для них хлеб на крыльцо и могла уходить хоть на целый день, оставляя дверь незапертой и воду для нагайны в тазике. Но однажды она нашла свою подругу искромсанной, а домик ограбленным дочиста: злодеи, видимо, принесли с собой мангуст.

Вспоминая ее смешные рассказы, он торопливо шел сквозь туман все вперед и вперед. И вдруг неожиданно для себя сказал:

— Знаешь таких мангуст? Охотники за змеями.

Прилипала в ответ почему-то засмеялась.

Христианка Ира один раз, когда ее друг заболел пневмонией, спросила, где можно купить живого петуха, удивленного ответа не приняла и ушла на целый день. Затем сказала, что ездила в лес. Об этом говорить было нельзя, это была почти что практика вуду. Чудом он тогда выздоровел.

Незнакомка шла все время рядом, как собака, буквально у ноги, и вся переливалась, светилась. Видно было, что ее несет на крыльях неожиданной любви, что все совпадает с ее надеждами и тайными мечтами о принце.

Дурочка.

После Иры он никого не мог любить. Она была большая мастерица по этой части. Это она в самый первый день положила ему под дверь цветы, а потом села к нему за столик в столовой и засмеялась. Ей было уже тридцать лет.

Мнимый Анатолий говорил глухо, невыразительно, но подробно. Она задавала вопросы.

Сам он ничем никогда не интересовался у девушек. Прилипалки обычно о себе не сообщали, зато буквально цепенели, жадно поглощая любую информацию с его стороны. При этом и спрашивать стеснялись.

Эта, новая, не тормозила абсолютно, была свободна и счастлива — как Ира в тот первый день.

Но прилипалы нам не нужны!

Они обычно, уже во второй раз, караулили на его путях, стояли как надгробия, вынужденно улыбаясь, даже рук не протягивали, чтобы коснуться. Иногда касались. Его била дрожь омерзения. Почему-то их притягивала именно шея, они дотрагивались до него своими ледяными пальцами, когда он сидел в библиотеке, например. Они казались ему конвоем, какими-то незримыми, но вездесущими вампирами, которые крадут его сущность, сосут из него информацию, хотят жить его жизнью.

— У меня потребность,— жалобно сказала одна,— потребность тебя коснуться.

Она как раз караулила его именно с этой ужасной целью. Он вдруг чувствовал на шее как бы ледяной укус. Мазок чужой руки.

Эта, новенькая из его армии, летела рядом как на крыльях, невесомая и блестящая. Она уже не надеялась на его рукав, видимо, успела напитаться чужой энергией, расстояние держала сантиметров сорок. Разрыв, как ни странно, увеличивался.

Ира явно была колдунья, она надолго привязала к себе душу мрачного псевдо-Анатолия, чтобы он спустя годы так рассказывал о ее жизни. Теперь он плел байки о том, что его одного товарища из Индии сразу по приезде в университет обокрали, и все полгода этот товарищ голодал, но высидел весь срок, изучая русский язык довольно весело.

Он еще тогда подозревал, что Ира ходит подрабатывать в студенческий бордель. Многие девушки с их курса хорошо одевались, ездили на такси и не ночевали в общежитии. Ира кормила своего друга довольно часто.

— Мой животик зарабатывает,— говорила она.

А ее подруги тут же сказали, что Ира списывала со стены у телефона номера трех борделей. Так оно и шло.

— Как тебя зовут? — снова спросила новая прилипала.

— Сергей, я говорил уже,— ответил он, давая понять, что врет.

Девушка реагировала на это радостным смехом, не переставая светиться и переливаться во тьме. И она опять не сообщила в ответ, как зовут ее. Обычно те, предыдущие, сразу называли себя, как будто их кто спрашивал.

— А как теперь живет твой друг индус?

— Как живет, не знаю,— быстро произнес этот новоявленный Сергей.— Он или уехал заканчивать университет в Дели к себе на крышу, или вернулся к змеям в Нагаленд. Там повсюду змеи. Их кормят, поят. Если есть домашняя змея, она отпугивает всех остальных змей. Дело доходит до драк,— вдруг засмеялся он.

Она ответила низким грудным смехом. Какой красивый, однако, у нее голос!

— До драк?

— Да! Змеи сражаются! Домашняя должна победить. Если хозяева видят, что побеждает чужая, они ее убивают. Или новая нападает незаметно, ночью, и потом становится домашней. Ее должны принять, даже если она ядовитая. Иначе боги не простят.

— А! — засмеялась она.— Мне рассказывали историю, как змея полюбила солдата. Она приползала к нему каждый раз, когда он стоял на карауле. Он ее кормил крошками хлеба. Когда он погиб, его отправили домой в цинковом гробу. Родные вскрыли гроб, чтобы попрощаться. И там лежала рядом с ним мертвая змея.

— Это сказки,— отвечал немногословный Сергей-Анатолий.— Это все байки, страшилки. На самом деле все проще.

— Как тебя зовут? — опять спросила она.

Он посмотрел на свою прилипалу. Она вся переливалась, шла, как в ореоле, в свете ближайшего фонаря. У нее были счастливые, очень блестящие и слегка даже раскосые черные глаза, и сейчас она казалась намного смуглее, чем там, в зале. Но там ведь вертелись особые фонари, там все белое казалось намного белее.

— А зачем тебе это знать, как меня зовут? Сейчас ведь мы расстанемся навсегда, зачем? — в свою очередь спросил Сергей-Анатолий.

— Это просто так! Просто так! Ты очень похож на одного человека, очень! — как дурочка ответила она.

Так вот оно что! Дело оказалось еще проще. То есть она пошла не за ним, а за каким-то своим призраком. Не ему были адресованы все эти знаки счастья.

Мнимому Сергею стало одиноко, холодно и противно. Игра кончилась. Он не имел абсолютно никакого отношения к этой истории. Все было обыденно, скучно, невыносимо тоскливо. Чужая любовь.

Он решил молчать.

Девушка летела рядом с ним, и от нее буквально исходили лучи счастья. Вот ей повезло! Она встретила свою любовь, идиотка.

Наконец можно было по полной справедливости закончить все одним махом.

— Всё. Хорошо. Иди отсюда. Иди домой. Я сыт, понимаешь? Ты мне не нужна. У меня есть женщина. Она меня ждет.

— Ты женился? — померкнув, спросила она.

— Почти.

— А кто твоя жена?

— Моя жена, она очень хороший человечек. И я сыт, ты можешь это понять?

— Она живет с тобой? — превозмогая себя, спросила девушка.— Расскажи мне о ней.

Неожиданно он начал говорить. Они стояли под фонарем, сыпался и сыпался туман.

— Она красивая и умная. Она взрослая. Она знает одиннадцать языков. И она очень искусна в любви, она жрица.— Какой-то странный текст выходил из его онемевшего от холода рта.— Она танцует в борделях танец живота, и никто не смеет ее там коснуться. Она ходит туда по субботам и воскресеньям. Ее ай кью двести десять, выше, чем у Альберта Эйнштейна.

— Двести десять? — изумленно повторила она.— Такого ведь не бывает.

— Бывает. Ей уже тридцать лет.

— А какие у нее глаза? — спросила рыбка-прилипала, при этом широко раскрыв свои, раскосые, абсолютно черные и сверкающие.— У нее темные или светлые?

— У нее светлые, но карие,— ляпнул бывший Анатолий.

— А где она сейчас?

— Сейчас она меня ждет,— уклончиво отвечал Сергей.

— Где, где она тебя ждет?

— А вот этого я тебе не скажу.

— Почему? Почему не скажешь? — с неожиданным акцентом произнесла она.

— Не хочу, и всё.

— Ты не знаешь? Ты ведь не знаешь, где она тебя сейчас ждет? — настойчиво продолжала девушка-прилипала.

— Ты что, думаешь, я вру?

— Нет! Нет! Ты не врешь, я знаю. Ты говоришь правду! Первый раз за все время. Ты говоришь правду, что она тебя ждет. Но ты не знаешь, где она тебя ожидает?

Сергей молча повернулся и пошел. Он не слышал, идет ли она следом. Он не хотел больше на нее смотреть. Какое-то неизвестное чувство возникло у него в районе желудка. Как будто он падал, как во сне, с большой высоты. Это было похоже на тревогу, на испуг, когда бывает, что вдруг кто-то поймает на вранье.

— Как тэбья зовут? — настойчиво и с сильным акцентом произнесла девушка издали.

Оказывается, она осталась стоять на месте. Он, оглянувшись, пошел прочь еще быстрее.

Потом он опять остановился и обернулся.

Она была уже довольно далеко, светясь под фонарем как дорожный столбик с флюоресцентным покрытием. Сверкала вся, с головы до ног, как будто в довершение всего на нее падал свет приближающихся фар.

— Пока! — крикнул он, внезапно смягчившись. Угроза миновала.

Он ездит в универ на маршрутке и другим путем. Здесь он не ходит никогда. Она его больше не поймает.

Холодные темные массы воздуха били его по лицу, как сырые полотнища, так что трудно было бежать. Но он был закаленный спортсмен и не сбавлял темпа. Мчался, как в былые времена, чем-то сильно обрадованный (получил свободу?).

Когда-то, на первых курсах, он еще выступал на велосипедных гонках, машину ему дали казенную. Он из последних сил ездил, поскольку боялся, что отчислят (его взяли в университет по ходатайству спортивной кафедры, за первый разряд). Всегдашний страх поражения глодал его все эти годы. Вдруг все поймут, что он самозванец? Первое место у себя дома на городских соревнованиях он взял, потому что у финиша образовалась каша, завал, все слиплись колесами. Он шел за лидирующей группой, воспользовался и рванул, обманно всех объехал. Ему дали разряд, но за спиной хмыкали. Слава богу, тут же ему надо было уезжать поступать в университет.

Он опять остановился, запыхавшись. Форма уже не та.

Светящаяся черточка оставалась на прежнем месте. Она неподвижно сверкала. Как далеко он отбежал!

Прощай.

Он добрался до своего блока, принял душ, плюхнулся в постель. Как хорошо.

В дверь постучали: сосед.

— Не спишь? Тебе звонили из Дели. Плохо было слышно. Там кто-то умер. Вира? Пира? Агайна какая-то.

— Ира? — быстро спросил он.— Нагайна?

— Может быть. Было плохо слышно, извини.

Сосед ушел.

— Вот тебе и на. Вот и на,— так он начал повторять и заплакал.

Тут же он стал одеваться, закопошился, ища сухое, и наконец выбежал.

Она его искала везде и наконец нашла!

Он бросился вперед по шоссе, как тогда, на финише гонок.

Она засияла вдалеке, еле видная черточка.

— Андрей! Меня зовут Андрей! — кричал он в слезах.

Как же так, он ее не узнал.

Он добежал до светящегося столбика ограждения.

Только что проехала мимо машина, и столбик померк.

Он постоял, тяжело дыша, погладил ледяную шершавую поверхность, как будто это был надгробный камень, и поплелся назад.

Уезжая, она ему сказала так: «Я не вернусь. Или я вернусь после смерти. Денег мне больше не дадут. Преподавать не отпустят, слишком много желающих мужчин (она засмеялась). Это единственный способ. И я постараюсь тебя узнать».

Почти узнала.

Как цветок на заре

Прошлая любовь привязывает к месту больше, чем к человеку. Давно забыт человек, первая любовь, где-то живет (действительно живет где-то, а нам все равно, появись он, будет неловко, особенно ежели с признанием в любви — любил тебя одну — и, по телефону, с явным перегаром как всегда). Долой первую любовь, но место: блаженные темнеющие улички вдоль моря, сосны, тротуары из каменных плит, виллы, сумерки, фонари сквозь ветки, соленый йодистый воздух, песок в босоножках, идут вдвоем, он и она, зрелые люди, ему двадцать один, ей восемнадцать, он местный, она по путевке в доме отдыха. Она студентка, он просто так, охотник за скальпами, курортный молодой человек с большой практикой. Не работает. Слушайте, кому это интересно? Он учился в консерватории по классу валторны, на военном факультете, вот что важно. С детства музыкальная школа, мама оперная певица, солистка хора. Валторну ненавидит, но когда встал вопрос — армия или консерватория — мама все-таки посоветовала пойти на этот военный факультет.

Все это студентка (первый курс, не умеет краситься, носит мамин сарафан, постоянные ангины,

отсюда путевка к морю в августе) — эта студентка
слушает затаив цыхание. Она тоже по музыкальной
части, по классу вокала, такое совпадение, но в училище. У нее меццо-сопрано с перспективой (А. Е.
говорил) на драматическое сопрано, к тридцати пяти годам такие голоса только набирают силу для
Вагнера! Вагнера поют к сорока годам. Пока что нам
восемнадцать. Сегодня утром мы распевались после
завтрака, соседушка тетка отчалила на море, а мы
(при распростертых окнах, в окна хвоя, морской ве-
терок, не очень тепло) — мы распеваемся: «Милая
мама, милая ма-ма». И затем ария Далилы, никого
нет, голос несется в окна, к морю.

Вдруг внизу человеческая речь:

— Эт-то кто там поет, а? Кто так у нас поет тут?

Мужской ласковый баритон.

— Да, кто поет-то?

Второй голос, повыше (драматический тенор) в
шутку подыгрывает.

— Кто это поет?

Она, прячась за тюлевой занавеской, смотрит
вниз. Два молодых человека. Сердце бьется. Она
молчит, замолчала. Внизу опять беседа:

— Да, ничего.

— Годится.

Молчание сверху встречается с молчанием снизу,
сталкивается, сплетается в воздухе, густеет, разра-
стается. Затыкает горло. Минуту, две. Мысли: спуститься? Или не надо. Спуститься — это значит изменить судьбу. Изменится судьба. Не спускаться —
судьба останется такой как была: мама, училище,
хор, ми-бемоль ваша нота, ангины. А. Е. говорил:

надо беречь горло, а то что же за певцы с хроническим тонзиллитом. Ария Далилы: «Открылася душа — как цветок на заре-е... для лобзаний Авроры». Только что пела: «Далиле повтори, что ты мой навсегда! Что все — забыты муки...»

Муки одиночества (молчание длится), восемнадцать лет, и, как мама говорит по телефону подруге, да, она торчит дома. Никого. Имеется в виду дочь. Дочь сидит дома. Да, да (они по телефону перемывают косточки своим детям, любимое занятие у мамы и ее подруги Марьи Филипповны, страхового агента). На день рождения девушки пришла в качестве гостей именно Марья Филипповна выпить чаю с тортом и винца, но торопилась как обычно, ушла. Восемнадцать лет — и день рождения с мамой и ее подругой, затем М. Ф. убралась, всё. Восемнадцать лет! Убрали со стола.

— Что все забыты муки!
Повтори — те слова!
Что любила так я.....а....а...

Пела в полный голос первый раз после тяжелейшей ангины. Ангина была как смерть. Ты бледна как смерть (мамины слова).

Дальше пела (согласные неважны):
А...хнее... тси... л-сне — стии-ира-злу...
кууууужгу — чи-ихла...скласктво...и-хожи-да-ю.

Пела в полный голос при открытых окнах, но в безопасности, на втором этаже, за занавесками. Как бы из тени, из тайника звала кого-то в виде Далилы.

Так и надо петь (А. Е. говорил), вживаясь в образ, но успокойся, это следующий этап, пока еще надо учиться певческому призвуку, когда пиано сквозь все тутти. Летит звук, а пламя свечи не колышется (!), а не драматизму. Драматизм у всех есть в природе (А. Е.), что ни поете, все у вас драма, а вот дыхание не оперто. Как дерево на корнях. Дохни всем животом! Где язык? Где твое зеркальце? У того же Шаляпина было все свободно в гортани, язык вот так (показывает ладонь плоско). Рот как грот (!), ничего не загромождено. Освобождай простор! Смотри на язык!

Прижала язык, зеркальца нет. Призвук появился (?)

Призывала кого-то как Далила. Вот на зов и шли мимо двое, остановились под окном. Только на сей раз серенаду поет девушка наверху (бледная как смерть), отчаянно поет, прижав язык, звук льется свободно, дыхание опять не оперто. Ладонью отгороди ухо (А. Е. говорил), слушай сама себя, слышишь?

— От счастья зам-мираю!

Отща-стьязам-ми-раю...

А-А... ааа-аа (и т. д. пела).

Спуститься значит изменить судьбу. Спускались ли испанки к тем, кто пел серенады —

На экзамене была серенада: «Гаснут дальной Альпухарры! золотистые края (Зоя Джафаровна проигрыш, и): напризы-внуйзво-онгита-ры! (Зоя Джафаровна барабанит) выйди милая моя!!» (А. Е., комментарий: вообще четыре с минусом!, но четыре тебе поставили я был против).

Спускались ли испанки.

Она все еще стоит не шелохнувшись, боится за занавеской изменения своей судьбы. Внизу тихо, уже никого нет. Судьба удалилась. Ни с кем так и не познакомилась. Ходила туда, где площадка за решеткой, танцы и музыка, там качались пары. Но тихо удалилась, бледная как смерть. Все входили, а она не вошла, удалилась. Далиле повтори, что ты мой навсегда.

Как вспугнутый заяц, на неслышных лапках спустилась во двор, обогнула корпус, вышла на плиточный тротуар. Стоп! Они стоят, охотники, замерли. Она стоит смотрит, говорит:

— Вот и я.

Смелое высказывание, изменяющее судьбу, вот и я. Сказала и перевернула свою жизнь и жизнь вон того, умного, в очках, стройного, прекрасного, лысоватого. Опрокинула все.

— Вот и я.

Пауза, они как-то изменили позу. Стояли так, а встрепенулись. Как будто услышали сигнал:

— Вот и я.

Дальше:

— Это вы пели? (Говорит второй, лицо круглое, сам высокий, загорелый.)

— Я.

— Видите ли,— говорит опять второй, а первый, главный, в очках, он расслабляется, закуривает, ибо смуглый второй явно играет всегда у них первую скрипку.— Видите ли, мы собираем концерт силами отдыхающих. Не согласились ли бы вы —

Дальше они уже идут втроем по плитам переулка (куда-то), в босоножки набрался опять песок, но времени у второго, смуглого, мало. Он явно спешит и вскоре оставляет Далилу и Самсона одних. Самсон учился в консерватории, Далила учится в училище. Самсон со смехом рассказывает, как в музыкалке они пели «Я помню чудное мгновенье» в виде джаза, под умпа-умпа-умпа, барабаня на стульях, и когда одна дева на экзамене забыла романс Глинки, он (Самсон) тихо показал ей, как бы барабаня, «умпа-умпа», и она вспомнила! Хохочут.

Затем они гуляют весь вечер вдвоем, заходят к Алику (тот смуглый) в его комнату при клубе, он массовик-затейник в доме отдыха, а Самсон его друг, приехал на взморье в гости, уезжает сегодня. Далила с ужасом думает: сегодня.

В комнате Алика плакаты, мячи и сетки, шахматы, спортинвентарь, одна боксерская перчатка, старые кресла, два дивана, кое-какой быт, чайник, стаканы, тумбочка, стол со стульями. Никаких денег ни у кого (быстрый безадресный вопрос Алика «у кого есть деньги» пал в тишину). Но сидит, надувши губы, девушка, это девушка Алика явно. У нее такая надутая мордочка всегда. Постоянное свойство: чрезмерно пухлый рот, как бы слегка недовольный вид. Кто-то заглядывает с улицы, Алик убегает, забегает опять, хватает ключи, наконец Самсон выводит Далилу на волю, у Далилы в семь ужин.

Идут рядом, Самсон рассказывает, что Пухлая Мордочка — это, оказывается, дочь какого-то большого начальника, она здесь отдыхает с родителями, ей семнадцать, они с Аликом уже решили пожениться, но родители еще не знают, а узнают — увезут Мордочку в столицу. Как раз у Аллочки этой кончается срок в санатории, она уговаривает родителей продлить путевку и оставить ее здесь одну лечиться, раз им надо на работу, а Аллочке в школу только в конце августа, две недели свободны. Школьница замуж?

Так Самсон с Далилой беседуют и расстаются у столовой, и тут самое главное — это как ДОГОВОРИТЬСЯ. Далила молчит, ей мучительно страшно, тоска ее душит. Только обрела — и тут же потерять. Они стоят у подножия лестницы, наверху уже почти все отужинали, сытые выходят, выносят кошкам и собакам котлеты. Далила ждет как собака или кошка, молчит, не мяукает. Вечереет, прохладно, Далила не может удержаться, дрожит. Самсон, усмехнувшись, снимает с себя пиджак и надевает на плечи Далилы.

Далиле повтори, что ты мой навсегда,
что все забыты муки...

Далила трясется и под теплым, нагретым пиджаком. Стоит молчит, ждет. Самсон закуривает и наконец говорит, почему-то усмехаясь:

— Ты завтра будь у себя наверху, я приеду перед обедом, утром у меня дела.

— Второй корпус,— откликается Далила немедленно, у нее этот адрес так и вертелся в мозгу.— Второй корпус, второй этаж, седьмая комната. Дом отдыха «Волна».

А то он может уйти и по дороге забыть, и всё. Это ведь километрами тянутся дома отдыха вдоль моря.

— Ну? — вопрошает она.— Пока?

Она снимает с себя пиджак и одновременно как-то неловко протягивает ему свою длинную белую руку для прощания (не загорела еще).

Он берет ее ладонь, держит в своей теплой и сухой руке. Пожатие как землетрясение.

— «Волна», два-семь,— она так беззаботно говорит и идет вверх по ступеням, стесняясь своего сарафана, босоножек, белых ног и рук. Как это выглядит со спины? Не оглядывайся. Оглянулась уже в дверях. С невыразимо нежной, ободряющей улыбкой он смотрит снизу.

На рассвете Далила проснулась от счастья. Все уже состоялось в жизни, все что нужно. Пустая грудь заполнилась изнутри, так что стало тесно (как говорится, сердцу тесно в груди, вон оно что). Все мигом заполнилось, получился смысл жизни. На вопрос «в чем смысл жизни» Далила сейчас, на рассвете, могла бы дать ответ: «В Самсоне».

Она лежала наполненная смыслом, с громадным спокойствием. Птички начали щебетать, временами орали вороны. Все было уже устроено в ее жизни, все цвело, был порядок, образовалось главное: всегда вместе с Самсоном.

Через много часов он приехал под окно и просвистал «Ах, нет сил снести разлуку», умница. Она тут же высунулась и замахала ему своей длинной белой рукой. Они пошли по делу, к Алику в клуб, там просидели до обеда, Алик был один, у него имелись сложности, родители не выпускают Аллочку из рук, водят с собой, что-то почувствовали. Алик двигался как во сне, тоже полный до краев, уже взрослый мужчина двадцати трех лет, массовик-организатор на курорте, нежелательная перспектива для таких родителей, ясно. Наконец пришла та, кого ждали,

Аллочка, вырвалась на пять минут, сбежала с процедуры из поликлиники, и тут же с порога предложила уехать к Алику в Донецк к маме. Он поцеловал Аллочку (при Самсоне и Далиле), прижал к себе, к своему телу, крошечное тело Аллочки к своему огромному и взрослому, спрятал ее надутую мордочку и мокрые черные глаза на уровне желудка, только видна была грива ее черных волос, все скрылось под руками Алика, скорбными руками ненужного человека.

— Надо подумать,— сказал он в результате медленно.

Она тоже медленно, как в воде, вышла из его рук и пошла, мелькнула потом в окошке, маленькая, пряменькая, на каблуках, копна черных волос, и всё.

Утешали Алика, пили у него чай с единственным что было, с сушками. Потом Алика вызвали к директору. Самсон и Далила, как бы сделав все что нужно, встали и пошли. Отправились к морю, куда же еще. Сели в песок, Самсон привычно разделся до плавок, а Далила смертельно испугалась, что сейчас увидит его тело. Увидела с отвращением. Волосы на ногах, ноги жилистые, немолодые (21 год), до плавок она почти не поднялась взглядом, там была куча всего. Далила не разделась, сидела скрестив руки (хрон. тонзиллит). Он пошел в море, уходил, двигал ягодицами, совершенно чужими, у него были икры, широкая спина с волосами. Потом вышел из моря, пошел лицом вперед, была очень хорошо видна волосатая грудь и мохнатый живот, туго набитые плавки. К этому надо привыкать, решила она, панически пялясь в сторону. Когда он сел рядом, у него оказалось такое выражение лица, как будто ему было смешно. Как будто он наблюдал за любопытным случаем.

Вздохнув, она вдруг сказала:

— Я больше ни с кем не буду знакомиться.

И он опустил голову.

О пении больше не было и речи. О том, чтобы распеваться в спальном корпусе, тоже. Времени не хватало. День за днем они проводили вместе, переживая за Алика и Аллочку, Аллочка уже без пяти минут уехала, доживала, видимо, последние моменты, и один раз Самсон с Далилой пришли к Алику, а его комната, всегда открытая, оказалась запертой наглухо. Постучали, подергали. Ни шороха. Самсон посмотрел в замочную скважину и вдруг дал сигнал смываться, дернул Далилу за руку и потащил вон. Быстро ушли.

— Что ты?

— Они прощаются, ключ в замке.

— Как прощаются?

— Прощаются,— повторил он.

Затем Далила узнала всю историю его долгой жизни, что Самсон не мог вынести учебы на военном факультете с перспективой потом играть всю жизнь в духовом оркестре и наконец стать его дирижером. Тогда Самсона в казарме научил опытный старшекурсник, ты лежи под лестницей, а я тебя как бы найду, что ты упал и потерял сознание. Потом вообще не ешь, а если будешь есть, то сунь два пальца в рот и все дела, сблюнешь. Недельку так пролежишь в санчасти, и тебя комиссуют. Неделю: Самсон пролежал три месяца в госпитале, в отделении нейрохирургии, и уже действительно не мог есть, даже пить, его рвало сразу же после приема пищи, а армия все не хотела с ним расставаться, ставила капельницы, настойчиво лечила, назначала все более тонкие обследования, пункции из позвоночника и страшное поддувание (какое-то), чего боялись все симулянты и от чего человека корежило как от смертной казни. Затем его отпустили. Он потерял половину веса, шесть зубов и почти все волосы на голове, однако выжил, вышел на волю и стал страшно пить. Не мог ни работать, ничего. И мама.

— И мама, представляешь, ни слова. Каждое утро на репетицию, и каждое утро оставляет мне деньги под блюдечком. Зарплата при этом маленькая. И я все понимал, но ежедневно с ранья бежал, покупал бутылку.

— Да?!

(Далиле повтори, что ты мой навсегда, что все забыты муки.)

— И я, понимаешь, в один прекрасный день сказал себе: всё. Хватит. И всё!

— Да?!

— И не пью больше. Ну как все, рюмочку-другую. И всё.

(Открылась душа,
Как цветок на заре,
Для лобзаний Авроры...
Так трепещет грудь моя!)

151

И вот однажды вечером он ее поцеловал. Грубо вечером на берегу, в дюнах. Смял ей весь рот, Далила стала задыхаться, она же не умела дышать в таких условиях, когда рот заткнут! Губы мгновенно распухли, и Далила ясно, тут же (как осветили), увидела надутый рот Аллочки, уже увезенной насильно в такси, и в панике все поняла (они прощались! «Прощались!»). И стала вырываться, забилась, чтобы освободиться и вздохнуть, но этого мало, Самсон вообще надвинулся, навис, заслонил собою все и стал терзать бедную грудь Далилы. Какое-то животное навалилось, хлопотало, умело расстегивало, мяло, не отрывалось ото рта, фу! Далила сильно оттолкнула это животное и вскочила на ноги. Отвернулась и долго застегивала под плащом, кофточкой и сарафаном лифчик. Оглянулась. Самсон сидел курил, сам тоже растерзанный. Постепенно разговорились. Почему-то она чувствовала себя виноватой. Погладила его по рукаву пиджака. Выяснилось (не сразу), что в такие моменты у мужчин сильная боль. Они собой не владеют. Неутолимая боль.

— Да?!

Была уже темная ночь, Самсон опоздал на электричку и собирался теперь идти будить Алика, ночевать у него на диване. Самсон проводил Далилу в корпус, мягко и нежно поцеловал ее и долго потом стоял под окном, насвистывая «Ах, нет сил снести разлуку». Зачем-то стоял, хотя договорились на завтрашнее утро. И — новости — утром выяснилось, что белый плащ на спине у Далилы испачкан!

Она уже оделась выходить, а соседка ее остановила:

— Ты обзеленилась,— деловито сказала соседка.— Где-то обзеленилась, лежала.

Белый плащ на спине был в зеленых полосах и пятнах.

— Это от травы, на траве лежала. Надо горячей водой с солью.

В глазах соседки тетки ясно читался весь непроизнесенный текст и собственный печальный опыт. Эх, ох, обзеленилась как тысячи других безымянных.

Перестала носить плащ. Спрятала в чемодан.

Днем Самсон у Далилы в груди, распирает грудную клетку, все наполнено, битком набито им. Он же идет рядом, держа ее за руку, и он же сидит внутри, потеснив дыхание. Рука в руке, через его ладонь проходит в Далилу как бы ток, щекочет в ребрах, уходит в пятки, если встретишься с ним взглядом. Как хорошо! Голова кружится, а разговор течет спокойный. Они просто так болтают. Алик ошалел как олень в лесу и бегает на переговорный пункт к телефону. Его вызывает Москва. Аллочка ему звонит ежедневно и плачет в трубку, стонет, не может вынести разлуку.

> Ах, нет сил снести разлуку!
> Жгучих ласк, ласк твоих ожидаю,
> От страсти зам-мираю!

Аллочка плачет, а мы вместе.

Через неделю Далила ему позволила ЭТО, то есть целоваться (раз у него боли, он явно стискивал зубы, сидя рядом). Научилась дышать носом, если целуют. Терпела. Рот наутро распух.

А Аллочка сообщила по телефону Алику, что у нее задержка (что это такое, думает Далила, то есть она не будет больше звонить?!)

— Какая-то задержка со звонками,— вслух заключает Далила.

Безудержно, но негромко смеясь, Самсон продолжает, что Алик сходит с ума.

— Уехать ему нельзя, денег нет,— хохочет Самсон как идиот.

— Ты чего,— спрашивает Далила. Она подозревает, что смеются над ней. Каждый так будет думать, если смеются непонятно над чем.

Самсон постепенно успокаивается и объясняет, что у Алика нет денег съездить в Москву, на выходной бы было можно (ночь в поезде туда и ночь обратно), но не на что, поскольку Алик посылает деньги матери в Донецк, там младший брат учится. Алик сходит с ума. Аллочка собирается приехать к Алику сама, честно оставить записку родителям. Жить в его комнате. Питаться с ним в рабочей столовой. Алик ее отговаривает, тогда его вообще посадят за совращение малолетней. Всю милицию на ноги поставят. Они всё могут. А он ничего. И нет денег.

И у Далилы и Самсона нет ничего. Они печально танцуют бесплатно на Аликовых вечерах, уже идет осень, пахнет желтыми листьями, бессмертная луна сияет с темных холодноватых небес, песок в дюнах ледяной. У Самсона мать на гастролях, он исхудал, Далила кормит его своими котлетами с хлебом, как люди кормят кошек и собак. Жадно смотрит, как он ест: деликатно и как бы нехотя. У него металличе-

ская коронка в глубине рта, след страшных месяцев
в госпитале.

Однако у Самсона все впереди, громадные планы,
он поступает (не сейчас, а на будущий год) в консерваторию на два факультета, дирижерско-хоровой и
на композицию, будет готовиться. Надо работать и
учиться.

Они сидят в дюнах на Аликовом одеяле, под луной, целуются до потери сознания, но печаль уже
поселилась в сердце Далилы, она часто плачет (как
Аллочка).

Глупая Далила с остервенением целуется, научилась, Самсон скрежещет зубами от своих болей.

И как-то вечером она уезжает домой, в Москву,
Самсон везет ее на электричке в город, они стоят об-
нявшись в тамбуре последнего вагона и смотрят в
заднее окно, как убегающие рельсы сплетаются и
расплетаются огненными змеями на черной земле,
уходя в печальный желтый закат, и как горят тоской
зеленые и красные огни светофоров, можно-нельзя,
можно-нельзя.

И на перроне городского вокзала Самсон на прощание снимает с себя свой единственный красный
свитер и отдает его Далиле, потому что она мерзнет
без плаща, который засунут в мусорную урну дома
отдыха. И всю ночь Далила плачет, укрывшись сви-
тером, слышит запах Самсона, табак, его кожа, оде-
колон, плачет и будет плакать еще полгода, будет
писать письма каждый день, потом через день, потом реже. К весне этот поток иссякнет, и обратный
поток, от Самсона, закончится двумя письмами без
ответа, и в одном из них далекая новость, что Алик

женился, они с Аллой ждут ребенка, и Алик поступает на заочный в театральное училище на режиссуру и уже нашел работу худрука в доме культуры завода. Алик — кто это.

Открылась душа, как цветок на заре.

Много лет спустя Самсон позвонит и мягким, нетрезвым голосом скажет — а, да что там, одну тебя и любил всю жизнь. И положит трубку.

Гимн семье

Краткий ход событий:

1) Одна девушка, секретарша и студентка-вечерница, очень симпатичная, высокая, большеглазая, худенькая, была из хорошей семьи, однако у ее матери была некоторая история.

2) Ее мать была, в свою очередь, незаконнорожденной дочерью и плодом целой семьи, а именно:

3) жили две сестры, одна была замужем, вторая еще только пятнадцати лет, и муж старшей сестры натворил дел, то есть пятнадцатилетняя забеременела, и этот муж повесился, а пятнадцатилетняя сестра родила, и родила она как раз дочь, дочь висельника, которая была ей ненавистна.

4) Но эта дочь выросла и благополучно вышла замуж и родила в срок и как принято, и родила опять дочь:

5) как раз эту секретаршу и студентку, Аллу. Алла выросла и в пятнадцать лет начала гулять с мужчинами, и мать ей этого не прощала, а ругалась и плакала, а затем помаленьку начала сходить с ума. Кроме того, она заболела болезнью с очень дурным прогнозом:

6) ...полная неподвижность. Алла была с ней в очень плохих отношениях, потому что:

7) эта Алла была воспитана своей пятнадцатилетней бабушкой (см. п. 3), которая ненавидела свою дочь, будучи старше ее на пятнадцать лет, и в тридцать пять стала уже бабушкой и взяла к себе в провинцию маленькую внучку, а сама до этого жила одиноко со стариком, который приходился ей дядей (братом матери), и

8) возможно, тут тоже была своя история, сожительство пятидесятипятилетнего старика с тридцатипятилетней племянницей (они только вдвоем и остались после всех пертурбаций, войн, арестов, разводов, смертей вольных и невольных, единственные родные души в маленьком городке).

9) И еще к ним прибавилась крошка Алла, которая росла в ужасе, что ее заберет к себе родная мать, в семь лет она даже увидела страшный сон, что ее мать Елена Ивановна — Баба-Яга, но

10) что делать, мать по ней тосковала, отец (научный работник) тоже, и девочку сразу после страшного сна увезла поступать в школу ее мать, которую семилетняя ненавидела (дочь ненавидела мать, которую ненавидела и ее, в свою очередь, мать, с двух концов ненавидели), и в результате

11) после сорока лет она, средняя в этой цепи поколений, начала постепенно слабеть телом и ожесточаться разумом, а тут еще и ее Алла, ее дочь, раз — и родила безо всякого мужа. Мать Аллы (та самая Елена Ивановна) после этих родов дочери ходила абсолютно кривая и сгорбленная, пыталась стирать пеленки и как-то что-то готовила, но очень туго и с остервенением: денег не было, Елена Ивановна уже жила на свою скорбную инвалидскую

пенсию, муж умер, а дочь Аллочка тоже не работала и не зарабатывала, поскольку родила (родила тоже дочь, назвали Надя). Призрак прошлого витал над головой неуклонно гнущейся к земле Елены Ивановны, вся страшная история погибшего в петле ее незаконного батюшки и призрак вечно замкнутой пятнадцатилетней матери сквозили над ней, над ее трясущимся организмом, и Елена Ивановна пилила Аллу как могла, а Алла сидела над кроваткой Нади и старалась не плакать. Дело было в том, что

12) у Нади имелся отец (как у всех), но он жил с Аллой между делом, Алла была у него как бы старая надоевшая история, Алла уже два раза делала от него аборты, и вот в начале февраля он (отец будущего ребенка, Виктор, но он-то считал себя мотором, двигателем будущего аборта и ничем другим) повез Аллу в очередной раз в больницу на такси, попросил таксиста обождать, проводил Аллу в отделение, поцеловал ее в щечку и ушел, а вещей не взял как в прошлые разы, просто уехал на такси,

13) и вещи Аллы остались с ней. Алла, положенная на койку в палате, всю ночь напряженно думала, оставшись в компании спящих женщин, думала, что ей уже двадцать четыре, будет двадцать пять, жизнь проиграна, ничего больше не произойдет. Виктор ушел. Никого больше нет, остаются какие-то случайные знакомые и старые женатые приятели —

14) так трезво и с сухими глазами размышляя, Алла вдруг к утру обняла свой живот, худой, с выступающими косточками, и поняла, что теперь она на свете не одна,

15) и утром она ушла из роддома, оделась во все мятое, из узла, и ушла, привет.

16) А Виктор все не звонил, и Алла сдавала экзамены, шеф же смилостивился и перевел ее на должность инженера, не дожидаясь диплома, работник Алла была хороший, а тут же кстати пришла молоденькая практикантка, как раз на секретарскую работу, и Аллу передвинули, а про живот никто ничего не догадывался, все просто считали, что Алла расцвела.

17) Правда, сама Алла постаралась, как-то тихо сказала шефу, что жить не на что, материна пенсия, мать все время болеет, нужны лекарства и т. д.

18) А про живот она ничего не сказала.

19) Она не сказала об этом даже Виктору, которого как-то встретила в коридоре, он тоже сдавал выпускные экзамены и тоже редко заглядывал в alma mater, то есть в университет, а теперь Алла тихо сидела в коридоре, симпатичная со своим глубоким взглядом, длинными волосами и чудесным телом, упакованным в брюки и свитерок. Виктор, малый без царя в голове, вечно в поисках минутных удовольствий, тут увидел свою Аллу, оценил ее выросшую грудь при тонкой талии (как у Софии Лорен), и, здороваясь, присел и полуобнял ее, и вопросительно поцеловал ее в губы, как бы ища ответа на свой всегда стоящий вопрос.

20) Здрасте,— тихо сказала Аллочка, и они сговорились на после экзамена. Виктор преданно ждал ее под дверью аудитории и повел подругу к себе домой, где она тихо поздоровалась с мамой Виктора, которую давно любила (многие дочери, не любящие

матерей, ищут их в других старших женщинах). И мать Виктора Нина Петровна тоже хорошо относилась к Аллочке, ибо только Аллу сын приводил к себе много лет открыто, а остальных принимал скрытно и в глухие часы ночи: что делать,

21) мать бы не поняла. Алла тихо и радостно поздоровалась с Ниной Петровной, и Виктор повел девушку в свой пенал, узкую комнатку для сна и любви. Виктор вошел в Аллу как в родной дом, все было привычное и знакомое, кожа и запах, только он не узнал ее тела: грудь Аллы была теперь как у кинозвезды (см. п. 19), роскошное молодое тело, буквально налитое соком, расцвет. Виктор жадно получал удовольствие, развлекался как мог и признался затем, что Алла его удивляет:

22) все хорошеешь, все никак не состаришься,— говорил он ей во тьме, а потом они вышли в большую комнату, Виктор похлопотал насчет чая, и тут Алла ему сказала:

23) за это время многое изменилось.

24) Что? — удивился Виктор. Он, зная себя, ожидал того же от других, то есть думал, что у Аллы (роскошное новое тело) кто-то есть.— У тебя кто-то есть? — спросил он.

25) Да,— сказала Алла, и ее огромные черные глаза засверкали, потому что Алла невольно пустила горячую слезу.— Да, дорогой, есть.

26) Я его знаю? — спросил, жуя печенье, Виктор (он как ел печенье, так и продолжал жевать машинально, но в душе его росло горькое сожаление и жадность насчет роскошной Аллы). Упустил, дурак, думал он, глядя пустыми глазами на Аллу.

27) Ты его не знаешь, я люблю его как тебя,— сказала Алла.

28) Ну люби,— бездумно ответил Виктор, жуя печенье.

29) Да, всю остальную жизнь буду его любить,— сказала Алла и добавила:

30) У нас будет ребенок.

31) Опять ребенок? — бессмысленно спросил Виктор, ничего не понимая. Он сидел, страстно мечтая остаться в одиночестве здесь, в своей квартире, один без никого, один.

32) Он затем подумал, что, вероятно, Аллочка овладела каким-то методом быстрого подсчета беременности сразу после акта, мало ли что теперь умеют девушки.— Когда это ты успела,— вымолвил он.

33) Она ответила как-то странно:

34) В сентябре!

35) В сентябре? — переспросил он.— А.

36) Когда же она ему объяснила все, он долго не мог поверить, даже скрипел зубами, а затем, через две недели (знакомые донесли Алле) он влюбился в идеал: хорошая семья, мытые полы, восковой паркет, и на ножках стульев наклеен войлок, чтобы не царапался паркет! И девушка как Маргарита из Фауста, белокурая и с косой, миниатюра в стиле Средневековья.

37) Однако те же люди донесли Нине Петровне, что у Виктора будет ребенок от Аллы, и Нина Петровна забастовала и не посетила ту свадьбу, срок которой пришел через месяц.

38) Видимо, Виктор прозревал какую-то опасность, которая таилась во чреве Аллы: то ли поги-

бель, то ли что. Этот ее покров, округлые плоды, нежный цветок любви, этот блеск влаги на устах, сверкающие зубы, длинные крепкие ноги, все это, разумеется, было ловушкой: так бабка Аллы, пятнадцатилетняя девушка, бессознательно или специально (любовь!) соблазнила взрослого мужа своей сестры, и этот муж двух сестер и отец гарема вскоре уже прилаживал петлю рано утром в лесу.

39) Виктор заметался, тут любовь пришла на помощь, бессознательное влечение к спасению, т. е. влюбился в идеал, но живот аккуратно рос, и на день рождения Виктора Алла принесла ему его (живот) как бы в подарок (будучи приглашена, кстати, мамой Виктора).

40) Чтобы избавиться от наваждения, Виктор вообще решил разрушить судьбу и получил назначение в малый город за три тысячи верст, инженером на строящийся объект. Виктор надеялся, что за три года о нем забудут все, в том числе и расцветшая Алла, и она, как после покойника, выйдет замуж, как все в конце концов устраиваются, он же некоторым образом покончит с собой (опять! см. п. 3), но на три года; мечта многих, уйти и посмотреть, что будет потом.

41) Утром накануне отъезда (всю ночь прощался со знакомыми, и опять Алла, вздутая как утопленница и с такими же струящимися длинными волосами, прекрасно-страшная со своим черным ртом, сидела в углу по приглашению Нины Петровны, мамы, которая не оставляла Аллочку в беде), утром накануне отъезда Виктор, оставшись один в компании со случайным дружком из Киева, которому не-

где было ночевать и он так и не ложился спать, на-
качиваясь бесплатным винишком кислых сортов,
так вот, Виктор затосковал, почернел, испугался
трехлетней смерти (см. п. 40), но будущее в родном
городе в эти три года представлялось ему не менее
ужасным, жизнь с утопленницей, у которой все
вздуто вчетверо, буквально все, кому-то это могло
нравиться, будущим отцам, молокососам, которых
возбуждает все, напоминающее собственный акт
рождения и кормления: Виктор же любил (опять)
одну длинноногую худенькую акробатку, она делала на сцене номер «девушка-каучук», то есть кольцо,
продевая голову с обратной стороны и глядя на зри-
теля между собственных бедер слегка расширенны-
ми глазами, и на лбу ее вспухала голубоватая веточ-
ка вены, а сразу надо лбом помещалась ее скромная
лобковая косточка, едва оперенная, прикрытая ку-
пальничком. Виктор после этого концерта встал
столбом под служебным входом и встретил и проводил Жанночку-акробатку к автобусу, дожидавше-
муся самодеятельных артистов. Дело происходило в
райцентре, где Виктор пил у друга, знакомого пси-
хиатра, увязавшись за ним от нечего делать (дома
сидела ровная и приветливая, но очень упорная мама). Итак, найдя свое сокровище в местном клубе и
выяснив адрес (Жанночка дала адрес простодушно
и сразу же), уже вечером следующего дня в Москве
Виктор нашел студеночку в ее общежитии, она вышла в плащике, длинноногая, с широко расставлен-
ными глазами и маленьким треугольным личиком,
они немного погуляли по сентябрьской аллее, и
единственной наградой, которую Виктор обрел, был

поцелуй в маленькую шелковую ручку с выступающими почти старческими венами: ни грамма жира не защищало тельце Жанны, и ручка ее была как анатомический муляж, вот косточки, вот жилочки, теплая птичья лапка.

42) С адресом Жанны в паспорте, выкипая горячей слезой, Виктор шел, сам себе сопротивляясь, на вокзал, его вел как на казнь пьяный друг из Киева, и

43) весь последующий год Виктор прожил в общежитии в одной комнате с семейной парой, причем они, по счастью, были поселены позже Виктора на один день и очень смутились, увидев его в своей комнате на койке, даже вышли в коридор, оставив чемодан и рюкзак, вышли выяснить ошибку: но ошибки не было, в стройгородке было негде жить, и Виктор прошел с этими своими молодоженами весь цикл деторождения, терпеливо прошел, вплоть до прихода юной супруги из родильного дома, причем ребеночка отдали всего в сыпи, у него подгнил даже пупочек, и голова несчастного на ощупь была колючая, столько на ней сидело мелких нарывчиков: такова была суровая действительность, и молодые тупо покорились своей доле и лечили младенчика с любовью, мужественно борясь со своим несчастьем. В тепле и заботе ребенок выздоровел, Виктор помогал как мог, не спал ночами и в рабочее время с охотой бегал по разным инстанциям, добиваясь для маленькой семьи отдельной комнатки: пока однажды не поймал на себе откровенно наглый, ясный, ненавидящий взгляд молодой матери, которая кормила грудью, а Виктор в это время забежал за какой-то ихней же справкой, из холодного коридора, бук-

вально с улицы, в куртке, вошел не в свое время. И тут В. подумал: а что я, собственно, здесь делаю? Хорошо, умираю, покончил с собой, но как же здесь негде жить, в этой смерти!

44) Тем более что у него уже накопилось за это время несколько записок от Жанны, а также пришло много писем от Аллы с фотографиями маленькой Нади, которая, как ни крути, если убрать ее ямочки, кудряшки и реснички, была вылитый Виктор. Кроме того, Виктору писала мама Нина Петровна, и писала о том, что Алле очень тяжело жить с психически больной матерью, а последнее письмо было с сообщением о том, что Елена Ивановна (см. пп. 1—5) настроена против того, чтобы Нина Петровна навещала крошку-внучку, и что Елена Ивановна непрестанно вслух бормочет, что Нина Петровна подсыпает Наденьке в кашку стиральный порошок!

45) Получив это письмо, Виктор серьезно забеспокоился, даже помрачнел и испугался (хотя уже не боялся ничего). Но, видимо, фактор свободы все-таки облегчал ему существование до сих пор, т. е. сам уехал, захочу — вернусь. И тут он подумал, что вернуться-то будет некуда: что истосковавшаяся мама Нина Петровна с ее простодушным, справедливым сердцем переселит к себе внучку Наденьку (маленького Витеньку) и в придачу утопленницу мать Аллу как необходимое приложение.

46) И вот тут он и поймал взгляд соседки, откровенный до ужаса, и понял, почему эти несчастные люди так равнодушны к его хлопотам насчет их отдельной комнаты: им бы было достаточно, чтобы

Виктор исчез, умер, уехал, ушел, растворился. Это была их самая горячая мечта, а не отдельная комната, насчет которой так пекся Виктор,— он старался для себя, чтобы жить одному и водить к себе Таню, Галю и Любу.

47) Кроме того, Жанна перестала отвечать на письма и не пришла на телефонные переговоры. Виктор промаялся полночи в городе, в переговорном пункте, закоченел и заночевал там же на стуле, автобусы в стройгородок начинали ходить с четырех утра. Приехав же в родной барак, войдя в комнату и пробираясь в полутьме, он заехал сапогом по тазику с водой и всех разбудил, завизжало дитя, покорно, как рабы, зашевелились родители за занавеской, зажгли ночник, Виктор стал вытирать водичку, дитя ненасытно кричало...

48) Утром Виктор пошел сдаваться: оформлять уход с работы как не получивший за одиннадцать месяцев жилья. Жанна, кроме того, звала его своим томительным молчанием.

49) «Придется жениться, что делать»,— растроганно решил он.

50) Тут словно бы в шутку, на которые так горазда жизнь, здесь же в заводоуправлении его ждала телеграмма от матери, что все в порядке, брак годовалой давности ему расторгли заочно (та жена должна была снова выйти замуж).

51) Свободен! — как бы возопил Виктор, и душа его улетела к милому образу.

52) Хотя он подумал, что странно, что такие вещи мать сообщает торжественно и открыто по телеграфу.

53) И спустя две недели мать должна была его встречать на вокзале, а встречала целая компания.

54) В Москве был уже август, на дачных платформах толпились нарядные люди, Виктор смотрел в пыльное окно не отрываясь, и счастье переполняло его: он увидит Жанну. Жанна, Жанночка, пело сердце, но пока что, сойдя с позда, он увидел двух идущих по перрону женщин и коляску перед ними с довольно крупным ребенком, и женщины остановились перед ним и смотрели, а одна из них вдруг закрыла лицо руками и зарыдала. Это была Аллочка. Мать же не плакала, а вынула из коляски ребенка и протянула его Виктору, как бы защищая себя этим ребенком.

55) Дальше была жизнь, гимн семье.

Маленькая, худенькая студентка подружилась с большой и высокой, но как подружилась, не на равных, конечно. Большая и высокая, уверенная, обеспеченная всем — голос (сопрано), слух, внешность негра, большая грудь при тонкой талии, лень и расхлябанность в быту, то есть имелось абсолютное превосходство во всем, своя квартира с мужем, ребенок, беспокойный сынок, затем она поет на всяких свадьбах с ансамблем, репертуар самый низменный, какие-то песни без слов, правда, и без музыки, только ритм, причем уже известные песни, скопированные с телевизора, ну что любит толпа и пьяная публика, к примеру песенка о кабриолете ни к селу ни к городу, никто среди этих даже не знает что почем, кабриолет. И эта большая — у нее грудь до пояса, икры могучие, волос проволокой, глаза крупные, как крутые яйца, рот толстый, откуда такое негритянское диво в русской глуши — вот эта большая и присмотрела себе внезапно подругу со своего же курса, тихую как индуска, такую худую, что согнуть ладонью — нате вам. Отставила свою прежнюю подругу, преданную до подлости, которая собирала сплетни и доносила до своей певички, а потом вдруг оказалось, что и все подробности жизни этой певички тоже известны, и достаточно широко, по всему курсу и по всему институту, и чуть ли не по всему городу, если кого это интересовало, жизнь исполнительницы попсы на свадьбах средней руки.

Проверить данный факт, правда, было невозможно, но третья их подруга (маленький сын правильно их называл «твои подлюги», не выговаривая букву «р») — третья подруга наконец открыла певичке глаза на все обстоятельства и даже предложила: давай скажи, что ты ходила к психиатру, и только ей. Сказала. И что — проверить все равно невозможно, ни от кого впрямую ничего не услышишь, никакой информации, только опять-таки эта третья подлюга, подруженька, доносит, что весь курс в курсе, все говорят, что Мара сошла с ума, так. Но не ты ли и разнесла?

Так сказать, обычные дела, дружба двух подруг — это всегда заговор против третьей, такой афоризм. Короче, Мара перестала общаться и с той и с другой, а Лайлочку внезапно пригласила на свой день рождения, нормально? Лайлочка пришла, помогала накрывать на стол, что-то раскладывала по салатницам (мама Мары настряпала как на Маланьину свадьбу и ушла от греха подальше), потом эта Лайлочка тихо и кротко мыла посуду с еще одной женой друга, а для чего жены друзей? Обе предыдущие подруженьки сходили с ума каждая у себя дома, трезвонили, но Мара лениво сказала им обеим, что день рождения уже отпраздновала в субботу, и стоп. Точка.

Мара не пела на своем дне рождения, сказала раз и навсегда, что бесплатно петь не нанималась, а вот что странно, что ни мужа ни ребенка на этом дне рождения не было, вроде муж сидит с больным

Ярославчиком дома у своей мамы и вообще этот муж терпеть не может дней рождения, ни чужих ни своих, такой уродился. И не любит сборищ Мариных ребят. Этот муж, врач, худой карман, плод увлечения десятиклассницы Мары, вышла за него замуж в шестнадцать лет, в 17 родила, нормально? Безумная любовь, а ему двадцать было уже три, сейчас двадцать шесть, старик, Маре девятнадцать, полностью развитая громадная женщина с тонкой талией, поет для заработка на свадьбах и банкетах, в рестораны ее не зовут, там своя мафия, можно петь и на улицах родины, но неохота. Денежный ручей то бьет, то иссякает. Зарплата врача и его постоянная загруженность на двух ставках не дают возможности полностью отдать себя Маре, как она бы того хотела, кроме того, безумная любовь к маленькому Ярославу и к собственной мамаше, тихой, как змея, заполонили сердце этого врача, а для Мары остается ровно ноль.

И вот Марины родичи сбились-сколотились в единую кучу и купили в подарок Маре однокомнатную квартиру, чтобы она не била стекла в квартирке своего мужа от боли и одиночества в обществе свекрови (там у них дверь в «зало» была застекленная, и Мара однажды ходила с забинтованными руками).

Мара стала лениво переезжать, но то у ней экзамены, то свадьбы, деньги текут сквозь пальцы, а как жить дальше большой вопрос, это не подарок, а ловушка, жить втроем с сыном в однокомнатной квартире нельзя, некому ухаживать за ребенком, Мара с утра в институте, вечером репетиции с группой (ее группа, «Такси»), у Мары к тому же третий ответственный курс, а муж днями и ночами на работе, Ярослав же сидит вечно с ячменями и гландами в обществе бабушки-змеи, так что эта новенькая квартира оказалась началом полного краха семейной жизни, чего и добивалась подспудно Марина семья, расколоть, разбить это новейшее образование в их жизни, Марино то гнездо. Девочка еще мала для такого груза, надо получить образование, считали Марины родители и бабка с дедом.

Теперь: у Мары полно друзей мужского пола, директор их группы, который достает для них все эти свадебки и банкеты; затем мальчики из этого «Такси», Мара солистка, на нее все взгляды. Когда эта Мара выходит в маечке и шортиках, больше ничего на ней нет, только плюс высокие красные сапоги и загорелое тело, черные волосы облаком, красный рот вполлица и глаза, которыми она ворочает как жерновами. Публика слегка боится, людям непривычно в провинции терпеть такие вещи, эта дикая Мара не так должна выглядеть с этим репертуаром, в крайнем случае длинное платье как рыбья чешуя, вот тут можно в обтяжку и с глубоким декольте, чтобы намекнуть на длинные негритянские груди, в крайнем случае шляпа с перьями, публика бы простила ей этот чистый, высокий, хорошо управляемый голосище — но тут извините, она у вас в майке и шортах, куда это лезет?

Директор группы, такого же негритянского склада вор Аркаша, красивый парень при третьей жене в тридцать лет, так он даже делает Маре главное замечание, то есть почему да отчего народные массы их не приглашают, тут ведь приходится ужом вертеться, чтобы добиться каждого нового приглашения — само собой не выходит, люди не передают из рук в руки весть о новой группе «Такси», а затаптывают, замалчивают самую память об испорченной свадьбе, когда вместо чтобы на невесту, гости пялились на Мару как туземцы. И, добавлял Аркашка, они стараются все замять факт появления новой звезды, понял, и дальше шло обычное добавление в виде мата.

Аркаша не дурак и делает и будет делать на Маре большие деньги, ворует и обманывает вместе с руководителем группы клавишником Ромочкой, они-то будут иметь всё, а вот Мара потеряла это всё, что как раз и выясняется на ее дне рождения, куда не пришли ни родные (муж и сын), ни вообще порядочные люди, а полон дом был «таксистов» с их первыми (пока что) женами, кроме Аркашкиной третьей по счету, и уже имеющиеся жуткие фаны, среди которых журналистка, которая будет писать о Маре и их группе, а также один мэн с телевидения, оператор, а также один дядечка начальник, который присутствовал на какой-то по счету свадьбе и запал на Мару и на юбилее которого группа будет петь «настоящее», рок-н-ролл мьюзык: он это, понял, любит с юности. Договорились на репертуаре Эллы. Дядя начальник стар и сед, в молодости, выясняется, он сам играл на фоно буги-вуги и именно то, что сейчас в моде, его усаживают за пианино, и он, не ожидая приглашения, начинает «буги-вуги», играет простецки, что глупо и нелепо среди профессионалов, но все терпят и благосклонно подхлопывают, а Мара молчит и не поет, и веселье гаснет само собой.

Маленькая ее подружка, тихая и скорбная (у нее как бы в горах пропала целая семья родственников, результат дикой их перестрелки или вообще чьей-то перестрелки, мирные люди, Лайла говорит, и с маленькими детьми, исчезли, никаких вестей) — эта Лайла тихо бегает между столом и кухней, сама почти не присаживается, настоящая восточная девушка, и вполне симпатичная, огромные глазки, немного только длинноват нос. Однако не усатая, и то хорошо (оценивающе говорит Аркаша).

Когда весь этот разгром, дым и шум заканчивается, Лайла тихо и методично продолжает мыть посуду, гости уезжают на своих машинах, то Мара распоряжается, чтобы Лайлу довезли до дома, и на прощание говорит «я тебе завтра позвоню как проснусь, часов в шесть».

И действительно звонит (Лайла ждет у телефона), и как результат они, оказывается, едут вдвоем отдыхать на маленький заброшенный остров, где заливы, сосны, домики в лесу, удобств никаких и еды никакой, зато одиночество.

Бежать от одиночества в полное же одиночество, вот мысль Мары, но не быть при этом одной, боже упаси, и Лайлочка, которую она разгадала полностью, будет прекрасной опорой в этом глухом лесу, так что берем магнитофон с набором кассет, берем кучу продуктов, купальники и отдыхаем.

Но оказалось, что там, в одиночестве, все уже было глухо укупорено отдыхающими, кругом такие же домики и в каждом людишки, дети, собаки, кошки, чашки-ложки, но в основном контингент состоит из пузатых старушек на тонких ногах, причем все как одна в бикини, здрасте.

Старушки в бикини, жрицы домашних очагов, мелькали в соснах, маячили на мелкой воде при розовом свете заката как тонконогие фламинго, моя ноги, а также сиживали вечерами за дощатыми столами с чайниками и грязной посудой, обсуждали политические новости, а еще ближе к ночи играли в сложные карточные игры, и только иногда среди писка стрижей и гула моторчиков на реке от такого стола со старушками неслась мощная фраза из арии Джульетты, «Риголетто», милости просим, причем спетая сильно и чисто при помощи колоратуры, что выглядело необыкновенно противно.

Тут, среди вод и лесов, закатов и звезд, при лунной дорожке, кощунственно звучали живые искусственные оперные голоса: оказалось, что Аркаша удружил Маре путевкой на базу отдыха местного оперного театра, увы. Мара попала в осиное гнездо певческой культуры, в самый эпицентр, в среду неутоленных пенсионеров. Прочие отдыханцы, будучи профессионалами, вели себя как немые, тут жила молодая примадонна оперы с тремя детьми, молчаливая как рыба, русалка с вечной младшей девочкой на руках. Ни звука не вырывалось из их уст, и только безместные, потерявшие сцену пенсионерки иногда не могли себя сдержать и на полном голосе пропевали одну-две музыкальные фразы и глуповато, с комическим величием поднимали брови и делали губами куриную гузку.

Так что вся данная местность была полна неспетыми ариями, и Мара, почувствовав это, запустила свой магнитофон, причем нагло громко, до упора регулятора, и начала транслировать на всю округу идиотские песни попсовых звезд в собственном исполнении, просвещая таким образом отсталых оперных бабушек.

Лайла молчала, оказавшись в столь странной ситуации, Мара тоже молчала, они вдвоем целыми вечерами курили у своего неубранного стола под громкие песни магнитофона, по утрам долго спали, выбираясь из домика когда припекало солнце, Лайла что-то загрустила совершенно и все делала спустя рукава, что Мара воспринимала как печаль о пропавших родственниках и детях. Теперь эта чистенькая восточная девушка, раба своей будущей семьи, деток и мужа, как-то машинально делала самое необходимое — ставила чайник, резала хлеб, открывала консервы. С посудой дело обстояло хуже. Лайла почему-то ее не мыла.

Мара же не делала ровно ничего.

Затем Мара стала думать, что Лайла заподозрила самое худшее — что ее взяли сюда слугой. Они здесь были на Марины деньги. Но что было делать! Не объяснять же. Лайла не ждала никаких объяснений, она не сбежала, она жила как если бы попала в плен, ничем не выдавая своих мыслей, грустно улыбалась всем своей привычной улыбкой — но их с Марой стол под соснами являл собой буквально мамаево побоище, и ночами там тусовались две островные кошки, а с утра кормились и тут же гадили вороны и даже чайки.

Как в произведении «Алиса в Стране чудес», Лайла не хуже мартовского зайца или сумасшедшего шляпочника расчищала только один клочок для следующей трапезы, они вдвоем быстро ели что-то из консервной банки, запивали чаем из тут же сполоснутых чашек, закуривали и сидели под звуки бравых песен, а кругом делали круглые глаза певцы, деликатные люди, обремененные малыми детишками, которые певцы уже давно решили, что с этими двумя девками бесполезно о чем-либо говорить, при первой же попытке Мара сказала столь длинную и заковыристую фразу одной оперной бабульке, что теперь и их стол, и их привычки общество списывало на полную невоспитанность, темноту и пещерную дикость. Ну бывает, ну пещерные девочки, не разбивать же им магнитофон, не перерезать же им электричество — это был бы выход из положения, но электричество им все равно починили бы.

Мало того, впоследствии выяснилось, что лживый Аркашка при покупке путевок соврал, что Мара приходится внучатой племянницей самой певице Марии Каллас, и сообщество вокалистов как-то получило это сообщение по некоему телепатическому каналу и, видно, призадумалось. Совершенно не местный вид Мары и особенно Лайлы (певцы, наверно, гадали, которая из них гречанка) наводил на мысль о том, что надо попридержать языки. Одна пузатая старушка в желто-зеленом сатиновом купальнике как-то льстиво сказала на пляже Маре: «Как хорошо ваша подруга говорит по-русски. Я ей сказала спасибо, а она говорит: не за что». Мара изумилась, но ничего не ответила.

Может быть, оперники даже вкупе сочли, что это еще не самое большое зло, два часа в день слушать одно и то же, мало ли, по телевизору и по радио шпарят то же самое, закончится срок этих двух гречанок, придет новое пополнение отдыхающих, еще даже похуже, пьющие актерки с посторонними мужиками, не портить же себе настроение из-за этого, не срывать отдых раз в году! Не стоит взрываться при каждом заезде варваров, надо делать вид, мы цивилизация, они хамки, в семье Каллас тоже, видимо, не без урода.

Так что их терпели, а девочки продолжали бездействовать молча и нелюдимо, под гром магнитофона. Лайла упорно не брала на себя мытье посуды, тем более что надо было идти на реку глубоким вечером, она из чайника споласкивала себе вчерашнее какое-нибудь блюдце, и всё.

Как бы заговор возник тут, за неубранным столом, на кладбище пищевых останков, оставшихся непогребенными.

Мара ничего не замечала, погруженная в свое темное отчаяние.

Она равнодушно грызла черствый недельный хлеб, ела какие-то первые попавшиеся консервы, пила чай из немытой металлической кружки, курила, глядя тусклыми огромными глазами вдаль, за деревья, купаться почти не ходила, валялась на неубранной кровати, на несвежих простынях. А иногда валялась и на пляже, а потом уходила даже не забрав полотенца, причем Лайла, которая плавала регулярно, тоже не забирала Мариного полотенца, такая была игра; Лайла не взяла на себя обслуживание Мары.

Как бы оправдывался один общеизвестный (и неверный) тезис о том, что все люди равны.

Можно было бы даже подумать, если бы Мара оказалась способна оценить ситуацию с грязным столом, что не стоило бросать преданных многолетних подруг, которые и убрали бы, и сказали бы теплое слово, а милая, тихая Лайла молчала целыми сутками непонятно почему, то ли по своей природе, то ли безостановочно думая о погибших племянниках-малышках, о пестрой толпе маленьких детей, расстрелянных из автомата после павших родителей, мало ли.

Так они упорно безмолвствовали, каждая о своем, а вокруг мелькали вылинявшие купальники пузатых оперных старушек, выцветшие, бедные, скромно-пестренькие, однако что постороннему глазу кажется нищенским, то и есть самое удобное в носке, и старенькие солистки с хорошо поставленными, загнанными во глубину утробы голосами и большими животами чувствовали себя прекрасно, то есть они бы прекрасно себя чувствовали, если бы не постоянный ритмичный грохот из неприбранной кибитки Мары и Лайлы, не эти металлические, бедные, явно без музыкального образования, голоса, хриплые, с торжествующим хамством вопящие что-то бедное, ничтожное. Оперные, однако, быстро привыкли, как привыкали в свое время к звукам настройки своего большого оркестра, и все меньше замечали двух дикарей в женском облике, ко всему привыкает человек, а вот Маре становилось все хуже.

Однажды произошло вот что: Лайла перемыла всю посуду, убрала в домике, помыла полы, напекла горку блинов, постирала Марин халат и полотенце, и, когда Мара что-то заподозрила, явившись к десяти вечера за убранный, чистый стол, и спросила «У нас праздник?» — Лайла ответила:

— Поеду в город позвоню.

Мара увидела на веревке перед домом свои стираные вещи и даже хотела что-то сказать, но не нашла что, закурила.

Лайла уехала на катере, по-местному на гулянке, в шесть тридцать утра, села в поезд и вернулась к вечеру к себе домой, но известий все так же не было, бабушка сидела в кресле во всем черном, отец с матерью вечерами на кухне закручивали банки на зиму, готовились к безвитаминной зиме и — мало ли — к приезду уцелевших беженцев с той стороны горных цепей, перегороженных войсками.

В городе почти никого знакомых не осталось, Лайла кое-кому позвонила, а потом включилась в работу, стала помогать родителям на кухне.

Но в один прекрасный момент она вдруг собралась, накупила продуктов и уехала, села в поезд и утром уже стояла у городского причала на реке, упорно карауля попутную гулянку или лодку, чтобы уехать на остров.

Однако это было сложновато, на их остров гулянка ходила раз в неделю туда и назад. Можно было бы попытаться поймать попутку на соседний остров, там взять весельную лодку и через протоку переправиться туда, к себе, где в тени сосен порхали старушки с весело торчащими голыми животами, по-семейному откровенно, и где в своей скорлупе сидела черная, обугленная Мара, не способная ни на что.

Лайла прибыла на остров в полдень, как-то ей повезло, гулянка подбросила ее прямо к родному причалу.

Лайла шла, сгибаясь под тяжестью сумок, и наконец добрела до стола, на котором так ничего и не появилось за прошедшие четыре дня, кроме десятка сухих дубовых листьев.

Домишко Мары молчал, все так же висел халат Мары и ее полотенце на веревке, наводя ужас на окрестности. Неснятое белье, как невынутая почта, говорит о беде.

Лайла осторожно открыла дверь, вошла на террасу, где стояла ее кровать, положила вещи, прислушалась — ни звука дыхания, ни шороха. Однако запах был прежний — застоявшийся табачный, несвежий дух, немного несло подвалом, видимо, шли дожди.

Лайла помедлила и заглянула за занавеску в комнату Мары.

Там лежала сама Мара, укрытая с головой, как труп в больнице.

Лайла долго, вытаращившись в полутьме, старалась уловить звук дыхания.

Мара дышала, слава богу.

Лайла выскочила на улицу, забегала, засновала, принесла воды, стала готовить еду и опять пошла к Маре.

Та курила.

— Ну,— сказала Лайла,— как ты?

Мара ответила:

— Нормально,— сиплым, тонким голосом.

Голос у нее был с каким-то даже писком, какой бывает у долго молчавших людей.

Через полчаса они уже сидели за накрытым столом, в баночке стоял букет колокольчиков, и Лайла рассказывала о своем путешествии.

— Ты позвонила? — внезапно спросила Мара.

— Некуда звонить, там все телефонные провода взорваны. Все наши дети убиты.

— Где убиты? — выкатив глаза, сказала Мара.— Где убиты? С ума сошла?

— У нас там, ты что,— испугалась Лайла.— У нас в горах.

Мара все так же сидела вытаращившись.

— Как все дети убиты,— внезапно сказала она.— Как это?

— Мы не знаем, мы так думаем,— ответила печально Лайла.— Связи нет.

Мара неожиданно ушла в домик, и оттуда раздались ее тонкие рыдания.

К вечеру после долгих уговоров Мара выпила стакан сладкого чаю.

На следующий день Лайле удалось покормить Мару гречневой кашей со сгущенкой.

Они молчали как раньше, но Лайла начала готовиться к отъезду.

Магнитофон они больше не включали.

Через три дня обе сидели в половине седьмого утра на причале, ожидая катер-гулянку.

Когда гулянка причалила и Лайла с Марой потащили сумки, на причал выпрыгнул мужчина с бородкой, выгрузил большой рюкзак и решительно двинулся на берег.

По пути он наткнулся на двух подруг и вдруг загородил им дорогу.

Мара без звука упала ему на грудь.

Это оказался муж Мары, которого Лайла еще не видела.

Посмотрев на худых, изможденных Лайлу и Мару, он сказал с раздражением усталого отца семейства:

— Называется отдохнули.

— Мы уже уезжаем,— возразила ему Лайла.

— Поворачивайте оглобли. Кому сказано,— ответил ей этот муж Мары.— Я приехал отдыхать на неделю. Будете меня обслуживать, я устал на работе. Лайла, я звонил вашим, есть известия, они все в лагере беженцев.

— Живы? — спросила Мара, а Лайла заплакала.

— Живы.

— Все? — требовательно спросила Мара, посмотрев на Лайлу.

— Все,— не сразу ответил муж Мары.— Вроде ни о ком не сообщали ничего такого.

Вечером, когда они плавали в огромном речном заливе между островами, Лайла тихо сказала мужу Мары:

— Дима, только не говорите Маре, что это я вам звонила.

— Еще чего,— ответил ей грубый Дима и заорал:— Марка, плыви назад!

Еле видная голова замедлила свое упорное движение и остановилась. Потом стало видно, что Мара повернула к берегу.

— Ну вот,— сказал Дима.— Как здесь, однако, хорошо!

Маленькая пухлая немолодая женщина, обременённая заботами, ушедшая в свое тело как в раковину, именно ушедшая решительно и самостоятельно и очень рано, как только ее дочери начали выходить замуж,— так вот, рано располневшая немолодая женщина однажды вечером долго не уходила с работы, а когда ушла, то двинулась не по привычному маршруту, а по дороге бога Эроса, на первый случай по дороге к своей сослуживице, женщине тоже не особенно молодой, но яростно сопротивлявшейся возрасту,— или она была таковой по природе, вечно юной, как она выражалась, «у меня греческая щитовидка», и всё.

Вечно молодая сослуживица праздновала день рождения и ни с того ни с сего пригласила к себе эту Пульхерию (как они на работе называли ее по имени гоголевского персонажа, верной пожилой жены своего мужа), а могли бы ее называть также и Бавкидой по заложенным в нее природой данным быть верной, бессловесной, твердой как камень и преданной женой, но Господь Бог судил иначе, и Пульхерия осталась очень рано в единственном числе с двумя дочерьми. Она-то была верной, но этого для жизни мало, как выяснилось, и у ее мужа завелась после санатория знакомая, были звонки, даже угрозы, что кто-то «примет газ» и так далее, а затем Пульхерия, как известно, осталась одна и мгновенно, как только младшая дочь вышла замуж и забеременела, она тоже как бы забеременела ожиданием, ушла в себя, спряталась в свое пухлое маленькое тело, в щеки, спрятала глаза, когда-то большие и, судя по фотографиям, прекрасные (одну из таких фотографий Пульхерия как-то нашла на своем пороге с выколотыми зрачками, понятно чьи дела),— но прежде всего Пульхерия спрятала душу, бессмертную душу юного гения, каким его рисуют — с крыльями, бесплотного, с кудрями и сверкающими лаской и слезой глазами. Все это Пульхерия быстро спрятала, быстро обросла бренной плотью, кудри обвисли. Но этот гений добра не исчез, как мы увидим дальше, и иногда сверкал в ней, подобно озарению. На работе она так болела за свое маленькое порученное ей судьбой дело, что в буквальном смысле болела, когда, к примеру, назначили некомпетентную начальницу, злобную и никчемную, которая уничтожала все предыдущее и накопленное со злорадством беса, перекроила уже приготовленную к отправке выставку, заставила писать новые тексты, и вот тут Пульхерия и ее молодая еще ровесница Оля спелись и сдружились.

Люди быстро объединяются на почве общего негодования, забыв все свои взаимные чувства, и ничего хорошего из этого, как правило, не возникает. Так вышло и в нашем случае. Сухая и самолюбивая Оля возненавидела начальницу люто, вся жизнь Оли была в работе, поскольку дома у нее происходили какие-то неурядицы и проживал тяжелобольной муж, поэтому были регулярные поездки к нему в больницу и мучения с ним дома, затем имелся сын, который быстро женился и хотел привести прямо в дом к маме какую-то ловкую бабу старше себя, и Оля потемнела лицом на глазах у сослуживцев, но потом все-таки она поселила парочку у новоявленной жены в тесной комнатке плюс родился ребенок, а у Оли с мужем были хоромы.

Вот в эти хоромы Пульхерия и поплыла по житейскому морю, предварительно поручив на один вечер все дела дочери, но болея душой за нее, как она справится с малышом одна, оставшись со своим суровым, но бестолковым юным мужем.

Пульхерия, таким образом, оттолкнулась от житейского берега и взмахнула веслами, чтобы уже никогда больше не возвращаться в прежнюю жизнь. Все произошло так мгновенно и все так переменилось, что уже назавтра Пульхерия не помнила ни себя, ни, страшно сказать, свою семью, она как бы впала в сон, а некоторые считали, что она слегка повредилась в разуме, например та же Оля.

Итак, приехав на место, Пульхерия сразу затерялась, засунула свое бренное пухлое тельце в какой-то угол и там затихла, наблюдая утомленными, заплывшими глазами за хлопотами и приготовлениями Оли, не такой скорбно-значительной, как всегда на работе, а простой и домашней, в кружевном старинном фартучке. Оля была очень мила, ей помогали какие-то женщины-подруги с прическами, а в большой комнате (сколько комнат было вообще, Пульхерия не посмотрела) курили у телевизора мужчины — для

Пульхерии этот высший свет, этот шикарный мир людей со свободным временем не существовал, и Пульхерия даже и не подумала предложить свою помощь, она просто сидела и отдыхала в кои-то веки.

Пульхерия очень хорошо и с некоторой неловкостью всегда понимала истинные побуждения людей, и в этом случае она тоже понимала, что Оля хочет окончательно подавить ее, Пульхерию, своим великолепием и затем с ней, подавленной, выступить единым фронтом, три человека в отделе, пойти в наступление на начальницу, скинуть ее и затем заступить на это место самой.

Пульхерия с досадой думала о своей всегдашней мягкотелости и уступчивости, что поехала в эти гости, где все чужое и малоинтересное, но у маленькой Пульхерии тоже весьма накипело на душе против начальницы, которая плевать хотела на огромную многолетнюю работу по обработке фондов и хотела все перевести на другие рельсы, на рельсы самоокупаемости, в том числе в русло пикантных разоблачений кто с кем жил и какие есть письма и доносы.

Начальницу быстро назвали «Шахиня» и поняли, что она хочет на чужих плечах сделать докторскую, для того она и въехала сюда на плечах мужа, замдиректора родственного НИИ, а он взял на работу кого-то из детей их директора, тоже порядочного проходимца, похожего на артиста в роли архиерея. Всё всем было известно и всех брала тоска, но что делать!

Таким образом, Пульхерия сидела в гостях тихо и безучастно, выключившись полностью, отдыхая от своих бесконечных трудов, уйдя в свою личину толстенькой тихой бабушки и чуть ли не древней старушки — притом что Пульхерия была старше Оли всего на два месяца. Однако заметим, для будущего это важно,— Пульхерия расценивала свою внешность как несуществующую и знала про себя, что настанет момент, и она из куколки, из кокона обратится обратно в бабочку. Она как бы играла сама с собой в старость в том возрасте, когда другие еще очень и очень возрождаются и поддерживают в себе тонус,— и сама не знала, что оттуда уже нет выхода таким как она. Оле был выход, а ей — нет.

Тем не менее Пульхерия иронически приглядывалась к Олиной вечной молодости и расценивала все ее гимнастики, диеты, корты и лыжи как легкий сдвиг. Пульхерия к себе относилась легкомысленно, а Оля даже сделала небольшую косметическую операцию за ушами и стала еще моложе, а во рту у нее полыхал голубоватый фарфор, но Пульхерия стеснялась смотреть на Олю в ее затянутое лицо выше уровня рта. Она, что называется, смотрела Оле «в рот», что Оля принимала за ее приниженность.

Оля вся была как на ладони, а Пульхерия носила в своей душе маленького, но крепкого и иронического ангела-спасителя, который всё про всех понимал, и Пульхерия в ответ на все иронические замечания Камиллы, третьей сотрудницы, молодой женщины богемного типа из художественной среды, вечно в свитере, джинсах, кольцах и браслетах,— в ответ на ее иронию в адрес молодящейся Оли Пульхерия только вздыхала. А Оля решила полностью опереться на приниженную Пульхерию и именно ее пригласила в гости в дом на день рождения, а Камиллу инстинктивно оставила без внимания, поскольку Камилла на работе томилась, начальнице грубила и просто так бы поддержала любое деструктивное, то есть разрушительное, начинание в адрес существующего положения вещей. Камилла могла бы, кстати, и не пойти в гости к старому бабью, да и Оля могла опасаться ее подлинной без натяжки юности. Так что оставалась безопасная Пульхерия, а у Камиллы были другие мечты и другие дела, и на этом мы ее оставим. Камилла тоже была не просто так с улицы взята на работу, у нее имелись непростые родственники.

Пульхерия сидела сиднем, потом стронулась с места как все, будучи приглашенной к столу, села и расплылась, растаяла, как бы не существовала уже, вела скромную и тихую, как обычно, жизнь, что-то попивала, ела салаты, пока вдруг не поняла, что рядом спрашивают, как ее зовут. Это был мужчина, сидевший справа. Пульхерия ответила, завязался разговор, речь шла о том ученом, архивом которого много лет занималась Пульхерия. Ученый был уже разоблачен, свергнут, забыт и упоминался только в юмористическом и разоблачительном плане, а Пульхерия знала всю его жизнь и все его взаимоотношения с великими мира сего, любила его, как энтомолог любит особую разновидность, допустим, мелкого жучка, признанного вредоносным, но открытого собственноручно. Поэтому она возражала, как ей казалось, обывательскому тону в вопросах этого соседа и тихо и немногословно отвергла общепринятую точку зрения. У вредного старца была надежная защита в лице кроткой Пульхерии!

Сосед начал ниспровергать и горячиться, а она не стала продолжать разговор, снисходительно помалкивая. Сосед приводил общепринятые и истасканные факты, давно обнародованные, а Пульхерия знала многое другое, но, как специалист, не снисходила до спора с невеждой, а только вздыхала. Один раз она поправила его, и он с изумлением посмотрел на Пульхерию, настолько изящным и точным было ее возражение. Пульхерия тоже впервые посмотрела на своего соседа и увидела как в тумане красноватое худое лицо, седые всклокоченные волосы, недостаток одного зуба впереди и воспаленные, часто моргающие, очень светлые глаза. Пульхерия увидела, однако, не совсем то, а увидела мальчика, увидела ушедшее в высокие миры существо, прикрывшееся для виду седой гривой и красной кожей.

Сосед глядел на Пульхерию и мягко улыбался. Он, видимо, вообще улыбался всегда, есть такие люди с определенной мимикой, они всегда улыбаются и в этом их обаяние, но улыбка эта не означает ровным счетом ничего, и многие люди ошибаются, приняв ее на свой счет. Сосед, однако, улыбался Пульхерии как восхищенный ее разумом, покоренный собеседник, и Пульхерия тут же полюбила его жалостливой, щемящей любовью, такой получился результат.

То есть она сама еще не знала этого, а просто как бы освободилась, расцвела, и ее гений послал сияющий луч доброты в адрес соседа справа, и дело было завершено. Пульхерия тихо и со вздохами, но твердо и обоснованно рассказала о предмете своих исследований — то, чего она никому бы не рассказывала, но важен был не предмет, а сущность разговора. Сущность же была в том, что эти двое нашли друг друга за пиршественным столом, где вино лилось рекой и дым стоял коромыслом, а хозяйка, раскрасневшись до лилового румянца на своей новенькой коже, необыкновенно похорошев и подобрев, бегала из кухни в комнату, но на одном из своих путей она, приостановившись и принагнувшись, сказала соседу Пульхерии что-то громко на ухо. Громко и на ухо в основном говорят обидные, язвительные вещи, рассчитанные на чужой слух и на оскорбление адресата, но Пульхерия не поняла ничего, и Оля удалилась, а беседа продолжалась. Сосед затем проводил засобиравшуюся Пульхерию до двери и вдруг заторопился, надел зимние сапоги (он был почему-то в домашних тапках), оделся и пошел провожать Пульхерию вон из дому. Они отправились по морозцу пешком до метро, и Пульхерия не стеснялась ни своего легкого старого пальтеца с висящими кое-где нитками, ни своей шапки, бывшей меховой, еще со времен молодости. Кудри Пульхерии обрамляли ее милое пухлое лицо, глаза раскрылись, румянец проступил на бледных щеках, короче говоря, ее гений, ее ангел-хранитель вознесся сквозь толщу плоти, уже готовой к старости.

Пульхерия была доведена до метро, затем до вагона, затем провожатый влез вместе с ней в поезд и еще долго вел Пульхерию до самого ее дома, до подъезда, где прощание было церемонным и галантным, так как Пульхерии была поцелована ее пухлая маленькая рука, кстати, очень красивая. Ни о каком номере телефона и речи не было, Пульхерия даже не узнала имени своего любимого человека и так, согбенно и скромно, скрылась во тьме подъезда, ни о чем не думая.

Однако червь отчаяния начал глодать ее уже ночью. Пульхерия знала себя и знала, что не спросит никакую Олю о том, кто это был этот сосед справа. На работе Оля вела себя обычно, все силы занял у нее очередной конфликт с начальницей, которая, сидя в той же комнате что и Оля, попросила Олю достать ей из шкафа нужную папку. Оля вспылила и предложила начальнице самой прогуляться до шкафа, и завязался свистящий разговор о перечне служебных обязанностей.

Пульхерия из соседней проходной комнатушки, где она обреталась в архивной пыли и не спеша обрабатывала очередную папку писем, слышала всю беседу соперниц, но — удивительно — она настолько была занята своими мечтаниям и мыслями о Неизвестном, что все это пролетело мимо нее. И на обеденном перерыве, стоя в очереди, она слышала, как Оля, вся кипя, с мнимым юмором рассказывала кому-то инцидент, поправляя его довольно грубо в свою пользу, но Пульхерия, опять-таки равнодушно, пропустила это мимо ушей. Оля тоже как бы сторонилась Пульхерии, не пригласила ее как обычно идти в столовую вместе, а пролетела словно фурия, не глядя по сторонам. То ли она не одобряла все, что произошло вчера, то ли равнодушие Пульхерии дало о себе знать — ведь иногда, Пульхерия это давно заметила, ты думаешь, что к тебе начали относиться плохо, а на самом деле просто это ты уже плохо начал думать о человеке. Все люди внутри остались животными и без слов чувствуют всё, что происходит, ни одно душевное движение не остается без ответа, и более всего равнодушие.

Равнодушная Пульхерия, однако, отстояв очередь до кассы, к своему удивлению, двинулась с подносом к столику, за которым уже сидела взбешенная Оля совершенно одна. Пульхерия твердо решила ни о чем не спрашивать Олю и спросила:

— Ну как вы вчера?

— Что вчера? — резко ответила Оля.

— Я ушла раньше...

— А, какое кому дело до мытья посуды,— едко ответила Оля.— Нет, вы видели эту хамку, она меня просила написать объяснительную записку. Кто она? Жена она, и всё! Она же жена этого идиота, друга нашего идиота! А знаешь какая у нее была диссертация? Особенности морфологии суффиксов ачк-ячк и ушк-юшк! Ушки-юшки! И идет после этого без стыда работать к нам!

Оля еще долго говорила, что у нее тоже есть связи со времен института, такие связи, что боже мой. В президиуме, сказала Оля своим свистящим голосом, так что за соседними столами явно слышали. И что ей стоит только позвонить. Что ее мужа тоже ценят и уважают как математика, и неважно, чей муж где работает и что один болен, а другой здоров как бугай, но полное ничто как ученый. Важно как кого уважают! И когда муж болен, слышали бы вы, какие люди звонят и спрашивают, как он чувствует!

— А что с ним? — неожиданно для себя спросила Пульхерия, чтобы только перевести разговор поближе к своей теме, к событиям в доме Оли, к своему Неизвестному.

— Не спрашивай,— ответила Оля.— Шизофрения. Вот так!

Пульхерия должна была бы страшно пожалеть бедную Олю, от всей души, с содрогнувшимся сердцем, но она почему-то осталась вполне спокойной.

— Я этим диагнозам не доверяю,— сказала Пульхерия.

— И он старше меня на десяток добрый лет, я не знала и вышла замуж.

— А ты не верь.

— И выяснилось недавно, что это уже давно. Все желудок, желудок, худел, все ссорился на работе. Вроде бы ему не дают заниматься прямым делом. Зарезали докторскую.

— И что же в этом ненормального? — спокойно сказала Пульхерия.— Это обычно.

— Он так бил кулаком в больнице по стене, все думали от боли, а потом стали спрашивать меня, я все рассказала. Говорят: как хорошо, что вы пришли, он все звал вас, пусть придет Аня. Аня, представляешь?

— Аня? — спросила сбитая с толку Пульхерия. Она еще не понимала, что вся ее последующая жизнь обрисована была Олей в этом разговоре. Пульхерия ничего не понимала, но слушала прилежно, с бьющимся сердцем. Оля явно что-то ей хотела сообщить, что-то внушить.

— Сказали: он все звал вас, позовите Аню, позовите Аню!

— Аню?..

— А сам никому не нужен, кроме меня. Хорошо у нас в отделе я не дала ему телефон, а на той работе звонил по десять раз в день. Ревнует. Сумасшедший.

— А как же ты? — сказала Пульхерия вполне бессмысленно.

— А вот так. Хорошо еще, что он в постели пока слава богу, а то бы я вообще повесилась. Ты рассмотрела, какие у меня гости были мужики?

Пульхерия не ответила, только воззрилась на Олю, ничего не понимая.

Оля сказала:

— Какие мужики, и все мои любовники, я их всех собрала с женами, жены тоже все мои подруги. Что-то же надо делать с начальницей!

Ошеломленная Пульхерия заткнулась на этом, вопросов больше не задавала, Оля отвлеклась на новый рассказ о событии, а Пульхерия пила компот, неожиданно для себя ощущая жар в щеках.

Мыслей о разговоре с Олей хватило Пульхерии на всю вторую половину рабочего дня, Пульхерия должна была честно признать, что есть какая-то область жизни, совершенно непонятная, но именно там на пороге могут лежать фотографии с проколотыми глазами. Эти соображения перемежались у Пульхерии волнами страшной тоски. Внешне же это выглядело так, что Пульхерия углубилась в чтение все одного и того же пыльного старинного письма.

Тем же вечером, возвращаясь с работы с тяжелыми сумками, Пульхерия увидела у подъезда в сумерках фигуру с непокрытой седой головой. Как само собой разумеющееся, возникло перед ней то, о чем она тосковала все последние сутки, и теперь душа

Пульхерии успокоилась. Она повела гостя к себе в квартиру, где на кухне сушились пеленки, в большой комнате у молодых была тишина, то ли они гуляли с ребенком, то ли спали все втроем перед бессонной ночью: ребенок часто плакал между тремя и пятью утра. Пульхерия завела гостя к себе в маленькую комнату, где было чисто и просто, диванчик (Пульхерия смотрела на все новыми глазами, как бы со стороны), круглый столик еще бабушки, кресло — все рухлядь и старье, но старье старинное, в том числе два маленьких книжных шкафа и старые книги в них. Гость сразу стал рыться в книгах, Пульхерия принесла чай и жареную картошку с кухни, поели в молчании, потому что гость весь ушел в книгу, потом он сказал, что ему пора, и удалился. Пульхерия, не прикоснувшись к нему рукой в этом тесном пространстве, после его ухода взяла книгу, которую он смотрел, и прижала ее к груди, закрывши глаза. Так она сидела в полной прострации, пока не загремело на лестнице, это молодые, везя коляску, ворвались в квартиру с шумом, громко разговаривая, забегали, затопали, полилась вода в ванной, закричал ребеночек, а Пульхерия сидела, не в силах выйти из комнаты, и думала, что хорошо, что их не было дома,— и думала, что же это с ней происходит!

Теперь каждый вечер она семенила домой, на работе сидела как во сне и как во сне пребывала дома, делала все то же, то есть стирала, убирала, готовила, бегала по магазинам, но все в полной отключке, потому что каждый вечер приходил Он — то на час, то на пятнадцать минут, сидел, что-то говорил, прино-

сил все время одни и те же пирожные «картошка»,
они ели, пили чай, он читал ей иногда вслух, иногда
писал в тетрадке цифры типа формул, потом исче-
зал. Пульхерия сильно похудела, все вещички с нее
сваливались, она почти ничего не ела, с работы старалась улепетнуть как можно быстрей и незаметней.
Еще большую роль играло то, что Пульхерия жила
сравнительно недалеко от работы — она как будто
придавала огромное значение тому, что именно в
назначенное время, минута в минуту он должен был
появиться, и пропустить это время было нельзя.
Молодежь очень быстро привыкла к гостю, его не
стеснялись, хотя и никаких бесед не происходило,
только здоровались и прощались, если он попадал-
ся им на своем целеустремленном пути, а вид у него
был именно целеустремленный, такой же как у
Пульхерии, когда она торопилась домой.

На работе Пульхерия очень много трудилась, почти не поднимая головы, и Оля к ней быстро охладе-
ла, тем более что она внезапно как бы набралась сил
(какие-то результаты закулисных переговоров), объ-
единилась вдруг с начальницей, и они обе совместно
стали выживать с работы молодую Камиллу, которая
действительно и опаздывала, и брала часто бюллетень, и грубила, хотя работа ее продвигалась, статью
она написала, и очень дельную. Но все разрешилось
на том, что Камилла, как выяснилось, уйти с работы
не имела права, она, это выяснилось, ждала ребенка,
муж привозил ее на машине и раньше времени уво-
зил. Результат был такой, что начальница и Оля еще
при наличии Камиллы начали активно искать ей за-
мену прямо в ее присутствии, и Камилла грубила им

обеим еще с большим чувством, но пухла и увеличивалась на глазах и уже с трудом таскала ноги. Кто-то им всегда был нужен как предмет борьбы, и хорошо, что это была Камилла, однако Пульхерия чувствовала, что недалек и ее час. По институту прошел слух, что у Пульхерии не все в порядке с головой: Пульхерия явно опаздывала со сдачей в срок ежегодного листажа, на обед не ходила, а бегала по магазинам. Никто не знал, что все ее время занимает Он, каждый вечер к ней приходил ее Каменный гость и неслышно сидел как камень, и не могла же она при нем писать свои труды! Она и делала это по ночам, а утром тащилась на работу, ничего не успевая, и там сидела сиднем и что-то корябала на своих карточках, не видя в своих занятиях смысла.

Дело разрешилось на том, что спустя два месяца такой жизни ее гость пропал. Проживши три ужасных дня, Пульхерия опять пошла обедать в институтскую столовую и села за столик, где восседали начальница и Оля. Они-то встретили ее радушно, посоветовали обратиться к хорошему врачу (Оля вызвалась даже устроить консультацию), начальница похвалила статью Пульхерии, наконец-то сданную, Оля похвалила Пульхерину фигурку («у тебя что, диета»), и затем они продолжили свой разговор, от которого Пульхерия оцепенела.

— Значит, завтра до обеда меня не будет,— сказала Оля значительно.

— Как скажет ваша милость,— сказала начальница шутливо.— Можешь быть уверена.

— Положили в беспокойное отделение,— сказала Оля.— Это буйное отделение. Там его убить запросто могут. Да те же санитары. Надо переводить его во второе, как обычно. Там его знают, там его любят. А то в этом беспокойном его заколют совсем, вообще больным придет дебилом или импотентом.

Начальница при этом сделала рот как для поцелуя и пошлепала сочувственно губами:

— В буйном да, сделают.

— А очень просто,— сказала Оля.— Я когда вызвала психоперевозку, он начал скандалить, не шел, а от этого зависит. На улице кричал громко «помогите!» и извивался. Санитары прямым ходом отвезли в беспокойное.

— Это кто? — спросила Пульхерия.

— Мой,— ответила Оля. Щеки у нее были сизоалые.— Ведь что кричал? Что я его враг, додумался! Типичный бред. Кидался в окно, разбил стекло головой, весь порезался, все было залито кровью, еще кошка эта поганая пришла, я его держу, как Иван Грозный, а она лижет с пола... Веником выгнала, нализалась человеческой крови, как людоед!

— А с чего это началось? — спросила Пульхерия участливо. Сердце ее стучало.

— Опять начал пропадать из дома на сутки, на двое, возвращался ободранный... Голодный, грязный...

«Врет»,— подумала лихорадочно Пульхерия.

— Еще что: ну как это у них, не спал, ни с кем не разговаривал, одичал... На работу, слава тебе господи, он вообще раз в неделю ходит... Одну статью в год пишет, они и рады... Одну статью, а они после этой статьи диссертации защищают... А он до сих пор кандидат... Конечно, он гений. Доморощенный.

Я на работу, обратите на странности поведения, они отвечают, директор, спасибо, ему надо отдохнуть, дадим путевку... А он тут же бросается из окна головой в стекло... Я одна, я одна только знаю... Присосались к нему какие-то пиявки опять.

— Ну ты подумай,— вставила начальница.

— Не работал, ни одной формулы, я смотрела, обычно он исписывает пачками бумагу...

Пульхерия вспомнила, что Он иногда писал что-то в тетрадке. «Опять врет»,— подумала она.

Оля вытирала со щек щедрые слезы, не обращая ни на кого внимания.

Пульхерия теперь все знала. Оставалось выяснить, в какой больнице он лежит.

Как-то все сразу соединилось, встало на свои места. Огонь горел в Пульхерии чуть выше желудка, как будто зажгли лампочку и именно на том месте, где обычно ухает, когда человек проваливается или видит чужую рану.

— Ничего, пройдет,— сказала она.— У меня брат лежал в Кащенко, ничего, выпустили.

— В Кащенко мы не лежали,— ответила Оля задумчиво.— Мы лежали в своей, там его знают с первого раза, с этой Ани начиная. Чуть не кирпич из стены выпал, так он бил по стене кулаком.

— Ничего, выйдет и опять все путем,— сказала начальница.

— Но сколько можно на одного человека! — воскликнула Оля.— Сколько можно! Эта его девушка, я имею в виду сына, опять она его подсылает разменять квартиру! Настрополила сына подавать в суд! Ему же говорят языком: она получит квартиру, которую мы тебе дадим, сами останемся на бобах с психически больным отцом, и она тебя сразу же погонит. Отдай сыну квартиру, не будет ни сына, ни квартиры!

И дальше потекла ее речь одинокого в своей огромной квартире человека, всех раскидавшего, безудержного, страстного и непобедимого.

Пульхерия сидела окаменев за этим столом над пустыми грязными тарелками.

— Главное,— продолжала Оля,— всегда находятся бабы, которые на него клюют. Вечно навещают его в больнице, носят ему домашние пирожки с капустой, передают бульоны, черта-дьявола. Я говорю нянечке: никаких передач, кроме меня, мало ли они ему намешают в тот бульон. Чтобы не тревожили его, не беспокоили. Слава богу, сейчас в больницах карантин, вообще никого не пускают из-за гриппа. Так только, передачи принимают или письма. Он ведь там, где его держат, он ничего не ест.

— Как моего брата,— сказала Пульхерия задумчиво.— Но его брали как диссидента, он голодовку объявил. Кормили через зонд.

— Уж не знаю,— раздраженно сказала Оля,— через что его там кормят. Врач сказала, что у шизофреников это такая форма самоизлечения, все эти голодовки. И не надо вмешиваться в организм. Но голодовка именно в буйном — это страшно. Они там не церемонятся, сразу пускают электрошок. Как через электрический стул проводят, только электрический стул это раз и навсегда, а тут повторяют.

Пульхерия держалась изо всех сил, она понимала, что Оля вызывает ее на реакцию, что Оля за ней наблюдает, как за подопытным животным.

На этом обед завершился, Пульхерия вернулась за свой стол в проходную комнату, теперь кончились, как ни странно, ее страдания на протяжении всех этих трех суток, проведенных абсолютно без сна, теперь начались только его страдания, его жизнь там, в тюрьме, его одиночество в толпе буйных зверей. Страдания брошенной женщины превратились в страдания насильно разлученной женщины, а это разные вещи, как разные вещи горе вдовы и горе покинутой, подумала Пульхерия, наблюдая за собой. Лихорадка, знакомое еще со времен проколотых фотографий чувство, оставила ее. Пульхерия даже с некоторым торжеством думала о покинутой Оле, о победительнице, не нужной никому.

— И если бы не мои любовники, я бы вообще повесилась,— сказала Оля, входя последней в отдел.

— Ой, не говори,— откликнулась из комнаты начальница Шахиня.— Иной раз любой хорош.

— Нет, я этим брезгую, у меня люди преданные, семейные, я всех собираю на день рождения и на всех смотрю.

Так сказала Оля, задерживаясь за стулом Пульхерии.

Так она пыталась уменьшить победу Пульхерии, и Пульхерия все поняла и осталась спокойна.

Она размышляла. Тоска еще не захлестнула ее, не накрыла с головой, Пульхерия отдыхала после смертельного ужаса, и волны любви и преданности носили ее над этим грязным полом, над стулом, над столом, голова кружилась, Пульхерия как бы шептала что-то о своей любви над пыльными письмами, старалась послать всеми силами Ему поддержку.

Когда-то Его страдания должны будут кончиться, надо будет Ему помочь, надо будет действовать с предельной осторожностью, передать весточку: надо будет жить, все рассчитав, до полной победы, до освобождения, до свободы, хотя опыт Пульхерии с ее братом-диссидентом подсказывал, что все очень непросто, и яростным усилием освободить человека это еще не все. И дело не в формальностях, не в правах человека, грубо нарушенных и потому легко восстановимых. Стронуть человека с его места, даже с такого места, это большой риск, думала пока что спокойно, как шахматист в начале партии, Пульхерия. Нельзя трогать человека, думала Пульхерия, нельзя, нельзя, он все должен сделать сам. Все, кто до сих пор его освобождали, все эти переносчицы пирожков и бульонов, ушли в тень, исчезли, а Пульхерия знала, что должна остаться в его жизни — остаться верной, преданной, смиренной, жалкой и слабенькой немолодой женой, Бавкидой.

Пульхерия за одну секунду превратилась в какого-то полководца, знающего силу отступления, ухода в тень, силу молчания. Надо будет ждать. Он вернется, думала Пульхерия. Он сам прорвет эти цепи. Он сильный. И слишком велико беззаконие, ему помогут. Ему поможет сын. Победа придет, но без меня. О ужас, ужас, подумала Пульхерия, не видеть его, ничего не знать.

— Ты не желаешь поехать со мной в больницу? — подошла сбоку к ней Оля.— Ты ведь за столом, помнишь, с ним сидела, вы так мило толковали, забыв прямо обо всех!

— Это был твой муж? — ровным голосом спросила Пульхерия.

— Ты что! Он ведь тебя поехал домой провожать, я ведь его попросила, помнишь? Перед чаем.

— Он проводил, да, до автобуса,— сказала Пульхерия,— я ведь откуда знала, что он больной. Я их боюсь после брата, я и брату в Америку редко пишу.

— Интересно,— сказала Оля и вся как-то затуманилась, выпрямилась, взор ее обратился вдаль, упершись в грязные обои над Пульхериным столом.— Интересно, какие бывают суки, приманивают больного человека.

— Я не приманивала,— холодно ответила Пульхерия,— он сам меня пошел провожать. Там пять минут ходьбы, автобус сразу подъехал, у меня и никаких подозрений не было, что он больной.

— Ну, поехали со мной? Лидочка нас отпустит. Мне одной страшно.

— Ты извини, у меня ведь внук...

— Так это в рабочее время!

— Ты извини, мне как-то неудобно, кто я такая.

— Да он меньше на меня орать будет при постороннем человеке,— сказала Оля.

— Ой, да я боюсь,— ответила Пульхерия и достала из ящика очередной пакет писем.

— Слушай,— как-то медленно заговорила Оля.— Ты не видела, в какую он потом сторону пошел?

— Откуда я видела, я не смотрела. И потом в автобусе стекла замерзли. И буду я проверять, зачем мне это!

— С кем-то он все это время жил. Со мной лично он не спал,— так же задумчиво сказала Оля.

— Ну,— отвечала на это Пульхерия довольно холодно,— это от меня не зависит. Он мне такого наговорил про деда,— Пульхерия показала на портрет объекта своих исследований, находящийся под стеклом в виде то ли Ворошилова, то ли Гитлера, с пучком волос под носом и в пенсне, как у Берии, такая была мода у руководителей той эпохи.— Он сказал, что я вообще работаю напрасно, гну спину.

— Это он умеет, оскорбить, унизить, задеть,— сказала Оля.— Это у него главное в личности. Он сам гений, все же остальные сявки. Это квартира, где проживает гений, все ему принадлежит, а нет! Вот нет! Это его инициатива разменивать квартиру, а ее дали на нас всех! Мне сын сам проболтался, что он хотел сыну двухкомнатную квартиру, себе квартиру, а мне, как последней спице в колеснице, что останется. Но не вышло! Он психически больной и вообще недееспособный. А как сын-то разорялся кричал! Наследственность. Надо его показать психиатру. Отец, видите ли, всё ему подписал, все бумаги на размен квартиры! А я оформляю над отцом опеку, он ненормальный и недееспособный! И всё! Квартиру ему! Да не ему, а этой! (Она добавила еще слова.)

Неожиданно Пульхерия покраснела, но она сидела читала, и такая же раскрасневшаяся Оля стояла и не видела ее лица, не вглядывалась, ее несло как на крыльях, она проклинала, угрожала, сулила чертей, и все напрасно.

— А ты возьми с собой Лиду, Шахиню,— сказала Пульхерия.

— Да хорошо, хорошо, никто мне не нужен, первый раз, что ли,— сказала выдохшись Оля и удалилась к себе.

Пульхерия, прошедшая с честью проверку Оли, продолжала корпеть над своими пыльными бумажками в тесноватой проходной комнате без окна, дело шло к марту, и Пульхерия работала в большой тоске. Она знала, что теперь надо только положиться на судьбу, набраться мужества и ждать терпеливо, скрываясь...

Ибо одно было то, что ничего не стоило вспугнуть Олю. Узнав правду, она способна была бы поджечь квартиру Пульхерии, убить мужа каким-нибудь легким способом — санитары в буйном отделении тоже люди, и сколько ни надейся, там могут найтись преступники и взяточники.

И второе было то, что Он, Каменный гость, мог уже забыть свою Бавкиду, свою Пульхерию, ибо любовь — это игра и ничего больше, она боится взаимности, привязчивости, преданности, боится платить долги и любит загадку и ложные пути.

Гость ценил недоговоренность, внезапность, свободу и нападал только из-за угла.

Возможно, в нынешних обстоятельствах ему было уже не до игры. Возможно, он и обвинял Пульхерию, проклинал эту нелепую пухлую старушку.

И Пульхерия залегла на дно, и единственно что с ней произошло — она побарахталась и тихо перебралась в другой отдел и на этом пути похудела, осунулась и каждый день, возвращаясь домой, чуть не теряла сознание.

И только в конце июня Пульхерия, поздно идя домой из библиотеки, увидела у подъезда на скамейке знакомую фигуру, сидящую в свободной позе нога на ногу, фигуру в сером, с седыми волосами.

Гость медленно встал, открыл перед ней дверь, Пульхерия прошла, позорно споткнувшись,— он поддержал ее под локоть, как даму, и повел к лифту.

ДАЙТЕ МНЕ ЕЕ

У каждой рождественской истории есть свое печальное начало и свой счастливый конец (якобы конец, жизнь не застревает на этом пункте). Тем не менее две судьбы встретились, а одна началась задолго до описываемого хеппи-энда, а именно в конце марта.

Некто Миша был не слишком удачливый композитор, презираемый в семье своей жены, за ним числилось два десятка песен для детского хора с фортепьяно, а также серьезные произведения, среди которых были две симфонии, Пятая и Десятая, названные так в шутку. Как пробиться, это вопрос вопросов, пока что Миша подрабатывал концертмейстером, тапером, и среди прочего иногда и клавишником при разных разбойных группах, производивших чес по ночным клубам. Группы, правда, работали под фанеру, и для такого случая у Миши имелся рыжий парик и усы, а иногда и накладной бюст и дамская блузка. Чистой воды «В джазе только девушки». Много беготни, мало денежек.

В том числе Мишу как-то наняли почти бесплатно написать музыку к дипломному спектаклю на актерском факультете какого-то университета искусств. Ему платили опять-таки как концертмейстеру-почасовику, слезы. Миша взялся за работу уныло, сидя ночами на кухне, пока семья жены спала.

Тут на арену выступает второе действующее лицо, похожее на лягушонка, худое и невзрачное, студентка актерского факультета того же университета Карпенко. Бывают такие создания, которые вынуждены компенсировать удары судьбы живостью и беззаботным ко всему отношением. Первый удар судьбы для Карпенко была ее внешность, рот до ушей и неправдоподобно большие глаза. Носа там почти не существовало, какие-то две скромные дырочки. Карпенко не красилась и усугубляла свой вид тем, что утягивала вокруг и так высоковатого лба кое-какие волосы, небогатые от природы. Лягушонок!

Ее приняли за бесспорный актерский талант, она так прочла басню, что матерые педагоги, заскучавшие к концу первого тура, охотно заржали.

Но к таланту нужны и еще некоторые качества, неизвестно какие. Пробивная сила, к примеру. Женский шарм. Карп была скромна до убогости.

У сокурсниц протекали бурные романы, их то и дело встречали на навороченных иномарках, Карпенко же никому не была интересна, кроме некоторых педагогов, особенно ее донимала преподаватель вокала, требуя и требуя работы, раз природа не дала ей голоса Марии Каллас. По танцу Карпенко тоже числилась в бездарно-трудолюбивых и ежедневно сорок пять минут кланялась у балетного станка. Но кого, спросите вы, такая артистка должна была играть? Правильно, служанок и старушек. А служанки и старушки не поют и не танцуют.

Слава богу, что в выпускном спектакле по финскому роману «За спичками» Карпик получила роль Лошади (без слов, зато с танцем). Затем преподаватель вокала самолюбиво поскандалила на кафедре актерского мастерства насчет своей ученицы, и Карпику было разрешено спеть в спектакле что-нибудь недлинное. Педагог тоже хотела продемонстрировать итог своей каторжной работы.

Петь Лошади было нечего, и тут они и встретились с композитором Мишей. Эти двое остались в пустой аудитории, Карпик быстро ухватила предложенную мелодию и тут же подобрала какие-то слова. Миша восхищенно отнесся к сочиненному студенткой тексту. Он глядел на нее, хлопая глазами и тряся головой. В результате она неслась в общагу ночью как на крыльях.

Никто и никогда с таким восторгом не смотрел на Карпенко, она выросла в суровой семье на Севере, мать была из рода ссыльных, то есть в какие-то далекие времена предки жили в своих имениях и, вероятно, танцевали на балах. Но в данном веке в доме было четверо детей, мать работала фельдшером, и семья кормилась с огорода. Единственно чем отличались женщины Карпенко — своей природной сдержанностью, золотыми косами и величавой красотой. Лягушонок пошла в отца. Отец, однако, полярный вертолетчик, выйдя на пенсию, бросил жену и уехал. Тут же и Лягушонок отчалила и подалась в актрисы и была как бы забыта своей окаменелой матерью. Они не виделись уже пять лет. До родного поселка пришлось бы за бешеные деньги ехать семь суток на поезде и тридцать шесть часов на автобусе, потом семь на другом, да еще он мог и не ходить. На письма мать отвечала месяца через три-четыре.

Короче, Карп с Мишей хорошо поработали над образом Лошади, Миша даже на радостях приволок старую пишущую машинку «Москва», единственное наследство от иногородней матери, и в самом конце марта (запомним эту дату) в университете искусств был показ материала для кафедры.

Спектакль одобрили, мастер сдержанно похвалил образ Лошади, особенно ее танец, чечетку на каблуках-копытах. Педагог по вокалу тогда выступила с анализом образа Лошади в смысле вокального мастерства и заколебала коллег анализом бельканто и как его преподавать в случае средних способностей.

Зрители же горячо приняли образ Лошади, хохотали и кричали «браво».

Как сонные мухи, Карпик с Мишей собирали ноты, а когда очнулись, все было кончено, народ отчалил, метро уже не возило, и эти двое пошли вверх по черной лестнице, Миша там уже раньше ночевал.

У чердака за щитами каких-то декораций стоял продавленный матрац. Миша впервые изменил жене-педагогу, Карп стала женщиной без звука жалобы.

В дальнейшем спектакль с большими трудами повезли на студенческий фестиваль в маленький финский городок Хювяскюля, и там Карпенко получила приз за лучшую женскую роль второго плана. Текст грамоты был по-фински, ее повесили в рамке на кафедре, а статуэтку отдали на хранение мастеру курса.

И из студентов этого курса мастер создал наконец свой театр где-то на окраине Москвы. Муниципалитет предоставил помещение типа склада. Директором стал старый друг мастера, опытная лиса Осип Иванович Тартюк (в дальнейшем Оська).

Оська стал искать следующую пьесу. Финский эпос с поющими лошадьми мало кого мог заинтересовать в спальном районе Москвы и в сугубо деловом муниципалитете, куда чиновники съезжались на бронированных джипах на случай взрыва. Финская деревня, еще чего!

Поэтому Карпика не взяли в штат театра. Тощая лупоглазая артистка не приглянулась Оське. Он любил толстых. Каждую полную женщину он театрально провожал возгласом «какой кентавр пошел!» и на банкетах после третьей рюмки горделиво утверждал, что «во всех случаях меня интересует только толстый зад».

Безработная выпускница Карпенко побегала и нанялась на окраинную оптовку продавцом овощей, пока что на два дня в неделю и за небольшие деньги. Положение ее было тяжелым (четвертый месяц беременности).

В ближнем микрорайоне она сняла койку на кухне в семье потомственных алкоголиков, Паши и его огромной жены по прозвищу Слон. Оба их сына сидели в зоне. Супруги летом ходили дружной парой в шортах, полученных от благотворительных организаций типа «врачи без границ», питались бесплатными обедами и искали бутылки в известных местах, как опытные грибники, под лавочками и по контейнерам. Слон даже подобрала себе у иностранцев какой-то импортный сиреневый капор с кружевами, точно под цвет лица, и носила его. Зимой они работали слепцами и свято хранили две палочки, черные очки и зачем-то собачий ошейник с ремешком под кроватью Карпа, всё сложили за ее чемодан. Хорошо что Слон никогда ничего не варила и в кухню заглядывала только по ошибке, когда бегала в преддверии белой горячки. Зато ночи напролет в их комнате шла гульба. Собирался высший двор, элитное общество окрестных людей, а также их близлежащих подруг, начинающих и пожилых красавиц. Абы кого, отщепенцев, не пускали. И эти отщепенцы иногда ломились в квартиру до зари, просились в рай, одиноко стуча копытом в битую дверь. К утру стандартно происходила драка. Иногда приезжали невыспавшиеся менты. Ежедневно приходилось мыть ванну и неоднократно туалет.

Карпенко поменяла разбитое стекло в кухонной двери на толстую фанерку, вставила замок и, вспомнив классику, приключения Одиссея, стала на ночь затыкать уши теплым воском. Все-таки она была очень образованным человеком.

Миша нашел Карпенко сразу, как только она, устроившись, приехала в театр с дарами — привезла в общежитие фруктов и оставила свой адрес подружке с курса. На всякий случай. Знала, однако, что делала.

Миша приехал не просто так, оказывается. У него была почти написана музыка неизвестно к чему. По этому поводу он остался ночевать и целовал Карпику ручки и ножки, так соскучился.

Карп ни слова не пикнула о беременности.

Из еды была только сырая морковь и вареная картошка с луком, продавцам разрешалось брать немного товара после работы.

Миша не мог спать, боялся криков за стеной и грохота в дверь, и убрался с первым поездом метро. Карпик подумала, что навсегда.

Однако через три дня Миша днем приехал с синтезатором. Пока он играл Карпику, под дверью кухни собрался и заплясал весь помоечный народ, разнообразно дергаясь как маппет-шоу и выкрикивая «ходи, чавелла!». Им музыка понравилась.

Карпик тут же стала сочинять пьесу, вытащив из-под кровати пишущую машинку, свою святыню.

Миша направил Карпа в верное русло, сказав, что сейчас играют только переводы с итальянского и надо писать сразу перевод.

Сюжет нашелся легко, конкурс красоты для телевидения в маленьком городке Саль-Монелла. Все итальянские и испанские драматурги плюс Шекспир витали над Карпом ночами, когда она сидела за машинкой.

Миша предложил назвать автора Алидада Некто-лаи, перевод У. Карпуй. Карпик сочинила сюжет, в котором действовали богатый адвокат, покровитель красавиц, его тощая жена в бриллиантах, ее подруга, которая одновременно была любовницей ее мужа и женой мэра, затем шел мэр — друг мафии, далее мафиози Лорка, Петрарка и Кафка (трио) и всё в этом же духе. Главная героиня — малоизвестная певица и красотка — звалась Галлина Бьянка, она выступала со своей группой и ее руководителем Тото Тоэто.

Миша правильно сказал, что роли Галлины Карпику не видать, так что надо создать запасной вариант — менеджера с телевидения. Карпик назвала ее Джульетта Мамазина и наваляла для себя самой

роль, почти целиком списанную с утренних моно-
логов своей хозяйки, Слона, смягчив их до норма-
тивной лексики: «Кто блин? Я блин?» (начало разговора Джульетты по телефону).

Чтобы не ослабеть окончательно, Карпенко почти перешла на сыроядение, за квартиру платить перестала (Слон отнеслась к этому спокойно, она и так
уже выбрала квартплату на два месяца вперед), был
уже август. Одно яйцо в день и пачка творога, а также сырая морковь, капуста и молодая свекла, такова
была диета. Как недовешивать, ее живо научила на-
парница, аспирантка из Харькова: надо было отре-
гулировать весы. Миша не зарабатывал ничего. Его
семья жила на даче. Они оба отощали.

Слон как-то приволокла из помойки богатого су-
пермаркета коробку сухого молока. Хозяйка была
вся побита («покоцали», по ее выражению), битва
была, видимо, у того помойного контейнера, но
Слон держалась молодцом.

Сами Паша и Слон молоком не интересовались ни
при каком раскладе, но надеялись толкнуть эту редкость через оптовый рынок и послали с Карпом парочку пачек на пробу. Карп вернулась с сообщением,
что просроченные товары не берут. Тогда Слон потеряла к этой коробке всякий интерес, только гости иногда пытались закусывать молочным порошком, сыпали
прямо в пасть, но им не понравилось: после такой за-
куси чесалось в груди и подошвы долго потом прили-
пали к полу, а локти к клеенке. Зато у Карпа и Миши
появилась возможность есть геркулес на молоке.

Как только пьеса была перепечатана, песни записа-
ны в исполнении Карпа и Миши и все это зарегист-

рировано в смысле авторских прав, Миша поехал к Оське.

Оська вяло взял текст, ничего не обещал, но уже через три дня, когда Миша ему позвонил, вызвал композитора на худсовет. Миша играл на синтезаторе и пел козлом. Худсовет принял пьесу тут же. Царило радостное оживление. Был только один вопрос — есть ли права на постановку?

— Значит так,— сказал Миша после паузы.— Этот Алидада Нектолаи берет четыре тысячи долларов за использование...

— Как раз! — контратенором сказал главный режиссер.— В дальнейшем в хорошую погоду!

Все зашевелились. Осип Иванович воскликнул:

— Мы молодой театр! Бедный!

— Нектолаи заявил, что все театры так говорят, даже присылают по факсу, что они бедные. Не берете — не берете.

Осип Иванович спросил:

— А еще какие пути?

— Еще такие, что можно заплатить только переводчице, тогда вдвое меньше.

— Мы ее знаем, такая (Оська сделал в воздухе заботливое объятие, как поймавший осетра) просто кентавр! Я с ней поговорю.— Осип Иванович взволновался.— Она скостит, скостит. Выдающаяся задница!

— Не думаю. У нее таких как вы театров... На рупь сто сушеных.

— Но мы ей предложим тысячу, целую тысячу! — завопил Оська.

— Так. Если ей тысяча, то и мне тысяча. Как автору музыки.

— Нно! — как ямщик, с оттяжкой произнес главный режиссер.— Обойдемся. Просто мы возьмем музыку из подбора! Зачем это нам? У нас будет Челентано там, Кутуньо и всё! Кто вы и что вы? С вашей бурбухайкой!

(Видимо, имелся в виду несолидный Мишин синтезатор, лежащий на стуле.)

— Переводчица Карпуй с вами и говорить не будет. Карпуй — автор текстов песен, понимаете? — волнуясь, заявил Миша.— Написанных на мою музыку. Это мюзикл! Жанр такой! Целая Москва зарабатывает на мюзиклах! Вы что, не знаете? Сидите на выселках тут...

Оська весь шевелился. Его остановили на лету.

— Будем решать в рабочем порядке! — вдруг крикнул он, на что-то надеясь.

Главный режиссер выглядел оскорбленным.

Миша с Оськой удалились в кабинет. Ремонт в здании уже заканчивался.

Миша долго беседовал с Оськой и добился, в конце концов, по семьсот пятьдесят долларов автору и композитору, место в труппе для Карпенко и роль для нее, и комната в общежитии для нее.

— Что вы с ней имеете, мальчик,— сказал Оська,— ваша жена знает?

— Мы разводимся,— ответил Миша неожиданно для себя.

— А с Карпуй вы знакомы?

— Карпуй и есть Карпенко, это она пьесу написала.

— Ха! — обрадовался Осип.— Вон оно что!

— Мы зарегистрировали ее. И пьесу и музыку. У нас все права. Это наше.

— Молчите! — сказал побагровевший Оська.— Что вы меня тут здесь морочили мне голову? Ей красная цена сотня долларов! Ее пьесе. А ее я оформлю уборщицей. Мне еще главного надо подготовить. Боюсь, что она не сможет никакой роли играть в этом деле...

— Ну так мы за эту цену в гораздо лучший театр пойдем! В театр Месяца! Вообще в Сатиру!

— Двести!

Тут вошел главный режиссер, некстати сияя.

— Первый раз я читаю пьесу, которая так расходится... Так хорошо расходится в труппе... Вижу эту пьесу! Знаю как поставить! И вы, кто вы, композитор (тут мастер выругался), вы мне мешаете! Вас тут не будет! Ваша музыка не нужна!

— Да? Тогда мое последнее слово! Тысяча автору и тысяча композитору,— разозлился кроткий Миша.— Причем не в рублях и не в день постановки, а сразу же.

— Сразу я не могу,— вдруг совершенно трезво ответил Осип Иванович.

— Мы с переводчицей приедем в понедельник.

— В понедельник не могу.

— А когда?

— Мм... в среду.

— И все мои условия. В среду.

— Послушайте, вы! — взвыл Осип Иванович.— Мне нужна моя уборщица! В общежитии ремонт! Кто будет это все возить? Миша, где я возьму уборщицу?

Главный режиссер смотрел на них дикими глазами:

— Какую уборщицу?

Возникла пауза.

— Да вот, Карпенко только вернулась из Финляндии, ее снимало телевидение,— вдруг сказал Осип Иванович главному.— Тогда уборщица остается.

— Из Финляндии? А я все думаю, куда Карпенко вдруг делась,— откликнулся главный режиссер.— Моя ученица внезапно исчезает... Галлина Бьянка... Это ее роль. В первом акте она вобла... Потом наклеим ей ресницы... Поставим на каблуки... Грудь дело поправимое...

— Она хочет играть Джульетту Мамазину,— сказал Миша.

— Хочет! — пискнул Оська.— Много хочет мало получит! — он пожевал губами.— Пусть уже играет.

Курс встретил новых жильцов сдержанно. На кухне все замолкали, когда Карп входила. Она заняла комнату, в которой жили двое, их расселили по другим комнатам, там стало по трое. Обиды росли. Все озлобились. Шло распределение ролей. О театр, клубок змей. Карп спокойно здоровалась, ей не отвечали. Вдруг возник вопрос, почему тут живет Миша, он же не прописан, почему у Карпенко, надо платить за него за свет, газ и воду дополнительно (маленькая месть). Все по трое обитают, а Карпенко одна. Надо к ней переселить одну девочку, чтобы всем было одинаково плохо. А то живет посторонний как дома. Надо позвонить его жене. В курсе она или нет.

Потом, действительно, жена приезжала с десятилетним сыном, ждала Мишу, их поили чаем до последнего метро. Тартюк, неизвестно откуда все зная, предупредил Мишу, они с Карпиком просидели ночь в аэропорту Домодедово.

С нового сезона начались генеральные прогоны с прессой. Карпенко специально оговорила себе костюм — юбка и пиджак с толщинками, то есть большое брюхо и торчащая грудь, причем юбка мини, пышный рыжий парик, сапоги много выше колен без каблука. Премьера прошла прекрасно. Джульетта всех дико смешила, она громко и фальшиво орала, показывая девочкам как надо петь перед камерой, и танцевала как слон, с трудом. В общежитии уже знали, что она беременна, и все готовы были сыграть ее Джульетту.

Знали все, кроме Миши.

Однажды Тартюк пришел к ней в комнату днем. Миша сидел с наушниками за синтезатором. Карпенко лежала.

— Что делать будем? Здрасте,— сказал Осип Иванович.

— Когда? — почему-то спросила Карпенко.

— А вот когда тебе рожать? Надо же ввод делать в спектакль!

— Тридцать первого декабря.

Миша сидел с наушниками, неслышно гребя по клавишам как курица лапами: поиграет и останавливается, соображая, что получилось. Он и был похож на куру. Тупой, недогадливый мужик.

— Ну? Осталось-то две недели!

— А Миша сыграет,— кивнула на него Карпенко.— Он все знает, я с ним прошла текст. У вас нет на эту роль актрис.

Тартюк вытаращился.

— Миша! — Она потеребила его лапкой.

Кура снял наушники.

— Оденься в костюм,— приказала Карп.— Осип Иванович, мы специально сделали юбку на резинке... Сапоги уже на него купили... Всё есть. Мы всё предусмотрели на случай моей болезни.

Миша, приплясывая и выворачиваясь, воздевая руки, как танцор фламенко, с муками переоделся за дверцей шкафа. Выглядело все это дико смешно. Юбка, грудь горбом, рыжие кудри, зад как два глобуса. Плохо выбритая землистая рожа, здоровенное паяло.

— Кентавр,— произнес Ося.— Ну хорошо, рожайте, я пошел.

— Рожайте,— усмехнулся Миша, стягивая с себя кирасу.— Тут еще о-хо-хо... Лесом да покосом.

— В смысле,— откликнулась Карп.

— Ну еще я музыку-то когда напишу...

— А,— ответила Карпик.

Она лежала, вся уйдя в живот. Миша, однако, воспринимал ее полноту как данность. Мало ли, его жена-педагог вот уж действительно была кентавр.

Миша ввелся в спектакль через неделю.

Тридцать первого декабря представление закончилось в половине десятого, Миша позвонил Карпику, телефон не отвечал. Стал звонить в общагу, телефон был глухо занят. Занято, занято... Быстро переоделся, поймал машину, с кучей букетов примчался раньше всех. Горел свет, в коридоре, у телефона, лежала на полу трубка. На полу было налито. Лужица вела к выходу от их полуоткрытой двери. Остальные оказались заперты. Коллектив, видимо, встречал Новый год в театре. У них в комнате все было вверх дном. Вещи лежали у гардероба. Что-то произошло. Куда она делась больная? Она же ходить не могла! Все говорила, что скоро ляжет в больницу на обследование. Посмотрел даже под кроватью. Там, далеко задвинутая, вся в пыли, валялась ее сумка. Открыл. Паспорт. Мобильник. Так... Обменная карта... Карпенко Надежда Александровна... Беременность... срок 31 декабря... Что?!!

Начал звонить в «скорую помощь», а куда еще. Через час несчастный Миша узнал, что больная с такой фамилией по «скорой помощи» не поступала. И в роддома в том числе, сведения вчерашние. Миша так и сел на пол. А по улице грянули какие-то выстрелы, заорали, вспыхнуло. Война началась? Небо было светлое, все окна горели. Что случилось? Взрывы один за другим. А, Новый год... Вышел, стал молиться. Господи, Карпик, только бы ты жива была... Карпик.

А Карпик за это время добрела пешком до роддома, адрес которого давно знала, постучала в запертую дверь, долго и бессильно стучала, пока ей открыла нянька. Вползла на полусогнутых, покачиваясь, и сказала:

— Мне что-то нехорошо.

Нянька, уже принявшая по случаю праздника, невнятно, но строго сказала со знакомой интонацией Слона:

— Слушшай...

Потом махнула рукой и исчезла.

Карп прилегла. Живот ее окаменел. В нем ворочалось, не могло найти места большое раскаленное каменное ядро.

Когда явилась девушка в белом, то ли врач, то ли медсестра, Карп уже плохо понимала ситуацию. Но заготовленный текст, выученный по дороге, она, как профессионал, выдала:

— Не могла документы найти... Все пропало... что приготовила... телефон...— забормотала Карп.— Ни паспорта, ни медицинской карты... Ничего... Кто-то взял сумку... Деньги были в кармане, но машину не поймала... Они не останавливались... Мы ссыльные... Отец на вертолете... И всё... Никому не нужны... Никому не нужны... Улетел...

— Бредит,— сказали над ней.— А ты сама откуда? Алле!

— А я артистка...

— Да вижу ты артистка, а как твоя фамилия? Год рождения? Адрес какой?

А вот тут Карпик сплоховала и потеряла сознание. Очнулась в светлом-светлом кафельном помещении, похожем на бассейн, вокруг лица в белых масках.

— Ну! Глаза открой! Открыла! О! Счастье привалило нам на Новый год. Ты рожать-то собираешься? Артистка! Как тебя зовут?

— Карп.

— Хорошенькое имя у девушки. А фамилия? Но, но, не умирай! Ну, Карп, ты нам весь праздник сейчас испортишь.

Тут накатила боль, стало выворачивать кишки, ополоснуло кипятком, все выдавливалось наружу с огромной силой, но не прошло. Застряло, вернулось. Карпик вытерпела. Через несколько секунд повторилось опять. И пошла полоса нечеловеческой муки.

— Тужься! Стой! Стой!

Воткнули нож снизу, повернули. Зарежут сейчас ребеночка!

— Не надо! — заорала на весь мир своим звучным голосом.— Зачем режете?

— Эй! Тише, тише, мамаша. Это он тебя режет... А-хха, вот и головка показалась... Ты кого ждешь, артистка? Так... Оооо,— удовлетворенно сказали.

Кто-то басом заверещал.

— Мамаша! Смотри! Открой глаза! О, какие глазищи... Это девочка! Красавица какая! Кудри у нее, смотри! Смотришь? Как твоя фамилия! Дайте ей нашатырю! А? Как фамилия?

— Карпенко, Карпенко фамилия. Надежда Александровна Карпенко.

— Ну вот и хорошо. Видишь? Смотри внимательно! Это девочка! Чтобы потом без претензий!

Белые марлевые лица, одни глаза. Смеются. Лежит у кого-то на руках куколка лохматая, шевелит ручками, маленькая-маленькая, какая-то грязненькая, жалкая. Бровки нахмуренные. Плачет-скрипит. Ей же холодно! Боже мой, как ее жалко!

Карп еле сама не завыла. Никого, никогда не было так жалко.

— Радоваться надо, мамаша! Какая хорошая, здоровая девка! С Новым годом тебя!

— Дайте, дайте мне ее... Отдайте, дайте мне...

Элегия

Никто бы в мире не взялся за такое дело — говорить, что все это плохо кончится. Скорее бы говорили, что она его окружила своей любовью так, что у него не было никакого выхода: куда бы он ни шел, она бежала туда же, чтобы все на месте проверить, все устроить там так же, как и в предыдущем месте. Доходило даже до смешного: она бегала с дочерьми к нему на работу — одна дочь на руке, другая за руку — они пришли к Павлу в гости, посмотреть, какая у папы работа. Девочки садились за пишущие машинки, а жена Павла с веселым видом беседовала с сослуживицей, сидящей напротив Павла, и говорила ей о трудностях их теперешней жизни в снимаемой ими квартире. Выглядело все необычайно естественно и достойно, если только не принимать во внимание сам чудовищный факт прихода целой семьи, как табора цыган, в солидное учреждение.

Погостив, семья Павла снималась с места и отправлялась восвояси. Девочкам очень нравилось у папы на работе, и всякий раз, когда они гуляли поблизости, а это случалось очень часто, они просили маму повести их к отцу на работу, и они снова появлялись как ни в чем не бывало, и заодно Павел вел их в столовую, и девочки ели казенный обед, а их мать, отдыхая от забот, сидела рядом со своим мужем, и опять-таки все вместе они производили впечатление бродячего табора, такие тесно связанные друг с другом, такие презирающие все формальности, плюющие со своей высоты на распорядок рабочего дня.

В особенности знаменательной была в этом отношении жена: если девочки не могли понимать и не понимали всей неуместности беготни по учрежденческому коридору, то их мать ведь могла разобраться во всем том сложном комплексе чувств, которые должен был испытывать кроткий и легкий по характеру Павел, когда все его гнездо вдруг снималось с места и в полном составе являлось к нему на работу!

К его чести надо сказать, что он никогда не проявлял раздражения или тревоги при виде своей исхудавшей жены и двух беленьких бледных девочек, которые, как бы делая сюрприз, долго прятались в дверях и счастливо смеялись, когда отец их обнаруживал. Павел воспринимал это чрезвычайно легковесно, как бы не задумываясь над тем, к каким последствиям могли привести эти семейные обеды в учрежденческом буфете, эти тихие супружеские разговоры за пластмассовым столиком, в виду продвигающейся очереди.

Сначала это объясняли тем, что у семьи Павла практически нет жилья и нет хозяйства, потому что они только недавно приехали, возвратились из того города, где Павел работал по распределению после окончания института. Там они ничего не нажили, кроме детей, и вернулись в прежнем состоянии, с чемоданами и без мебели, а мать Павла тем временем уже вышла замуж в свои пятьдесят лет, так что Павлу с семьей надо было снимать квартиру и еще и за это платить из тех немногих денег, которые он получал на новом месте работы. Именно этим и объяснялось то, что жена Павла приводила весь выводок к нему на работу, в его дешевую столовую с этими легковесными столиками, куда взрослым-то людям было можно ходить только по необходимости и из-за спешки, а не то что водить туда торжественно детей, словно в какой-то ресторан в праздничный день, чтобы только не обременять себя покупками и стряпней и как следует все отпраздновать.

Но ведь жена Павла могла за эти годы жизни в чужом городе научиться что-то примитивно хотя бы готовить, как-то справляться со своими обязанностями хозяйки и матери! Она могла бы не одеваться вот так во все черное, словно олицетворяя всем своим видом какую-то живую честную бедность, хотя действительно бедность была, поскольку Павел из своей небольшой зарплаты еще и должен был платить алименты на ребенка от первого брака. И первый ошибочный брак у Павла был, и чего только не было у этого Павла, который теперь дошел почти до цыганской невозмутимости, чтобы среди бела дня кормить детей увеличенными порциями в своей столовой, где все раздатчицы знали трогательную историю этой семьи и подкармливали их как могли.

Невозмутимость Павла и его жены и мир и покой в глазах его девочек, которых еще никто не одергивал в их шалостях, видимо, производили свое магическое действие и на руководство, которое знало наперечет все о трудностях финансового и жилищного характера у семьи Павла, так что ни у кого не подымалась рука прекратить эту странную семейную традицию, тем более что Павел был многообещающим, даже талантливым работником, который всего себя отдавал делу.

Правда, раздавались голоса, что это все в какой-то мере смахивает на спекуляцию детьми, что некоторые тоже могли бы приводить своих детей на погляение, только что детей совестно таскать ради такого дела и кормить так, как их кормит жена Павла.

Между тем ничто не мешало очередным приходам девочек с матерью. Девочки не болели и выглядели все так же, и ничто их не брало, никакие обеды, вредные для многих взрослых людей, но только не для Павловой семьи, которой, очевидно, был свойствен здоровый аппетит, присущий всем бедным людям и скитальцам вообще. Как-то они, эти девочки, выглядели умытыми и чистенькими, как-то мать их обстирывала, хотя как ни посмотреть было на учрежденческий садик, всё там играли сначала зимой, а потом и весной две маленькие девочки, и все так же ходила с неизменной сумкой в руке жена Павла в черном пальто и черных туфлях, ибо очевидно было, черный цвет — это самый дешевый цвет и самый немаркий и экономичный цвет.

Между тем время шло и подошло к лету, и Павлу с его семьей дали при учреждении какую-никакую, а все-таки комнату, которую раньше занимал истопник. Теперь можно было ожидать прекращения семейных визитов, теперь сам муж мог спешить с работы домой в обеденный перерыв, в лоно семьи, где жена на бедной электроплитке, но могла бы все же сварить обед.

Однако ничего подобного не было, с той же неуклонностью дети приходили и занимали столик, пока отец и мать стояли в очереди, и так, по-походному, они и обедали. Вообще ничего не менялось в их жизни, ничего не шло к лучшему, хотя от платы за частную квартиру они были теперь освобождены, и, по сравнению с предыдущим периодом, все-таки должно было денег прибавляться. Однако, видимо, любая сумма могла оказаться ничтожной перед той бедностью, которая царила в бывшей каморке истопника.

Павел с разрешения руководства обставил комнату казенной мебелью, какими-то стульями, письменным столом и канцелярским шкафом со многими полками. Жена Павла даже устроила новоселье и, не моргнув глазом, пригласила и сослуживцев, и начальников, и все пришли дружной толпой и провели время как в лучшие студенческие годы в общежитии, когда все казенное и стаканы взяты из столовой, а на газете лежит крупно нарезанный хлеб. Все прекрасно провели время, Павел играл на гитаре, горела свеча, и всем было уютно и хорошо. На новоселье молодым подарили предметы первой необходимости, которые сослуживцы покупали по списку, азартно споря, что в первую очередь купить Павлу. От руководства был преподнесен адаптер с пластинками, с тем чтобы дети слушали музыку, но дети музыку не слушали, а все так же копались во дворе, и жена Павла, видимо, пренебрегала всеми этими подаренными кастрюлями и тарелками и все так же водила девочек в столовую обедать.

Эти студенческие манеры кого угодно могли сбить с толку, внушить мнение, что всё еще впереди, что

всё еще открыто, все дороги в том числе, и всё придет
само собой и будет как у людей, и дети подрастут и
узнают, что такое семейный очаг и покой, а не только походная раскладушка и пластмассовый стол в
столовой. А пока что пусть они живут как вольные
птицы, пусть пока поживут, побалуются полным отсутствием вещей и забот, и даже таких забот, как воспитание детей, которое идет у них само собой, как ра-
щение травы в поле. Многие завидовали умению
жены Павла так всё поставить, что ничто не обреме-
няло ее, всё двигалось само собой, все эти стирки и
глажения, и частенько к жене Павла забегали побол-
тать женщины из его же отдела, потому что зрелище
чужого счастья, и полной устроенности, и полной
свободы как нельзя более очистительно действует на
душу, тем более зрелище счастья, какое было у Павла и его семьи, когда тихие, в меру шаловливые и не-
заметные, как все воспитанные дети, девочки Павла
рисовали за казенным письменным столом, рисовали талантливо, и жена Павла, и он сам обращали
внимания на них не больше, чем на траву в поле.
И Павел мог совершенно спокойно, насвистывая, собирать телевизор из каких-то разрозненных деталей,
а жена Павла тихо стирала и приветливо приглашала
присесть на старый казенный стул — это производи-
ло неизгладимое впечатление простоты и свободы,
какой не было ни у одной из навещавших жену Павла женщин, обремененных то ли своей неустроен-
ной, то ли своей полностью устроенной и вошедшей
в жесткие рамки судьбой.

Иногда такие встречи происходили и вечерами на
службе, когда Павел, к примеру, делал со своими со-

служивцами срочную работу, а жена Павла, уложив детей, приходила посидеть вместе со всеми и клеила или перепечатывала что-нибудь на машинке. Женщины из Павлова отдела догадывались, что Павлу не место вечером вне дома, что его добросовестность тут не совсем укладывается в рамки рабочей добросовестности и что скорей тут может идти речь об увиливании от семейного гнезда, от распорядка дома, как бы свободен этот распорядок ни был. Павел еще завел привычку работать вечерами над техническими переводами или уходил в библиотеку, и тут его жена не могла сопровождать его, прикованная к близнецам, которых надо было уложить спать, а младшей, более слабой, сделать массаж ножки.

Поэтому женщины всей душой были на стороне жены Павла и осуждали Павла за легкомыслие, вообще за легкость, с которой он шел на ущемление интересов семьи, с легким сердцем уезжая в командировку, например, чего жена Павла просто не в силах была вынести, хотя денег от этого прибывало; жена Павла в такие дни даже не появлялась с девочками в столовой, а приходила в отдел Павла только с тем, чтобы позвонить по междугородной своему отлетевшему мужу.

С другой стороны, некоторые вдруг стали отмечать, что Павел действительно работает много и для пользы дела, и своей же собственной семьи, для чего же еще; а жена Павла вела себя так, что постепенно перед всеми прояснилась ситуация Павла, при которой он не мог и шагу ступить, словно обложенный со всех сторон, не мог буквально шагу ступить со двора, постоянно вместе с ним выходила и его жена с двумя девочками, иногда, правда, девочки оставались во дворе, и жена одна бегом догоняла Павла и шла рядом с ним, даже если он шел в управление, а чаще всего так оно и было.

Что бы там ни было, она всюду за ним следовала, и Павел вечно должен был чувствовать себя окруженным, что, несомненно, принесло свои плоды: когда жену Павла вызвали телеграммой по поводу болезни ее матери и наконец-то она улетела вместе с девочками, они улетели, а не он — Павел чуть не повредился в разуме, ходил как заведенный все вечера по своей комнатушке, благо этих вечеров было всего четыре, на пятый день жена и дети приехали раньше времени, и неизвестно было, то ли мать так быстро выздоровела, то ли жена Павла не вынесла долгой разлуки и вернулась к мужу, оставив мать в болезни, и еще три дня приходили Павлу письма от его уже возвратившейся жены.

Так что тут речь может идти только о том, что жена Павла опутала его, лишила его собственной его защиты, инстинкта самосохранения, потому что он не мог прожить без нее, просуществовать без нее и погиб при первой же ситуации, которая грозила ему опасностью: он однажды вечером упал с обледенелой крыши, куда полез устанавливать антенну для своего самодельного телевизора, который мог стать первым признаком приближающейся благоустроенности, будущей жизни, теперь уже не кочевой, а иной — и более размеренной, и подобной всем иным жизням. В данном случае телевизор выступил в роли символа, хотя после чьей-либо смерти все, предшествующее ей, выступает в роли символа.

В случае же с Павлом символично было и то, что он, споткнувшись на крыше, не смог удержаться и соскользнул вниз. Так, по крайней мере, было объяснено впоследствии это происшествие, но это восстановление истины уже ничего не изменило, и жена Павла с двумя девочками исчезла вон из города, не отвечая ни на чьи приглашения пожить и остаться, и история этой семьи так и осталась незаконченной, осталось неизвестным, чем на самом деле была эта семья и чем все могло на самом деле закончиться, потому что ведь все в свое время думали, что с ними что-нибудь случится, что он от нее уйдет, не выдержав этой великой любви, и он от нее ушел, но не так.

Лабиринт

В тот момент, когда земля задышала, месяц выступил как бледная чешуйка на еще светлом небе, а тра-
ва уже была тут как тут, то есть апрельским вечером,
девушка Д. наконец пришла на садовые участки са-
доводческого товарищества «Лабиринт», раскинув-
шего свои домики среди плодовых деревьев, уже тоже окутанных зеленым туманом.

Дом только что похороненной тетки, престарелой
и нищей, выглядел почерневшим от дождей, но был
вполне крепкий.

Внутри оказалось пыльно, пахло яблочной гниль-
цой (на просторном чердаке лежали в газетах мор-
щинистые коричневые прошлогодние яблочки, тетка не успела их вывезти, вывезли в больницу ее
самое). Две комнаты и терраса, однако, были вполне
пригодны для жизни, разве что замусорены до ужаса, просто разграблены посмертными посетителя-
ми, все было высыпано как из рога изобилия.

Правда, шкаф и кое-какую мебелишку не вынес-
ли вон, было на чем есть и спать. Хорошо также, что
имелись газовое отопление и плита, тетка прекрасно подготовилась к длинной старости. Тетка жила
тут безвылазно, одиноко, никого собой не обре-
меняя, идеальный случай, хотя слегка и тронулась,

видимо, потому что соседки рассказали, что ранней весной, приехав на посадки редиса по снегу (такой способ), застали ее на участке (в последний год жизни) и спросили, каково-то было тут обитать одной, а она ответила, что я не одна, со мной Александр Блок, вон он, навещает, и она кивнула на дом. Вид у нее уже был плохой, но какой-то даже счастливый.

Д. после этих рассказов (она узнавала у соседки как раз насчет газового отопления, как включать) — Д. после такого предисловия решительно взялась за полы, вскоре развела костер из бумажных отходов, сортировать не было сил, а там мелькали письма, стихи, счета, заполненные тетради, какие-то списки, важные следы чужой жизни, гори оно огнем! Стихи она взяла в руки поинтересоваться — оказалось, действительно строчки Блока. «Мне снится берег очарованный», выцветшими чернилами с буквой «ять», какое-то странное послание.

Позже она вспоминала о тех тетрадях, жалко, что сожгла, может быть, тетка что-то бы ей оттуда, из-за гроба, как-то сообщила, ведь тексты — это опыт чужих ошибок, лазейка в лабиринте, наука дуракам и т. д.

Но что сделано, то сделано, тогда еще Д. не любила свою тетку, как полюбила позже.

Короче, до самой ночи Д. устраивалась на ночлег, надо было спешить освободить хотя бы одну комнату, но, поддавшись наркотику труда, Д. не успокоилась, пока не убрала, не вылизала весь домик. Костер чужого ума горел ясным пламенем на участке, валил сладкий дым, мокрые тряпки после мытья пола и окон висели на нижних сучьях, а Д. нашла банку довольно пригодных белил и заодно, пропадая от усталости, побелила изнутри и рамы окон (снаружи завтра).

Это был такой трудовой запой, видимо, инстинкт рабочих пчел, который ведет по жизни многих и многих женщин, сладко наводить порядок на новом месте весной!

Домик сиял.

Д. была счастлива как никогда.

Дом тетя Леля завещала именно ей, и никаких папмам Д. не хотела звать ни в гости, ни тем более на постой, ее семья жила шумно, откровенно, даже цинично, и Д. стремилась вон из этого вонючего людского тепла — туда, где никто не вынудит незамужнюю девушку плакать, накрывшись подушкой, особенно после откровенно-заботливых возгласов отца, что ничего, что дочь у нас не девица, заклеим бумажкой и выдадим замуж! Мать в ответ кричала: «Идиот поганый». Возникал обычный семейный круговорот, теплый, густой, как суп, ежедневный, обязательный, обезоруживающий, потому что отец страдал, уязвленный тем, что некто Миша не женился на дочери, прожил просто так два месяца в квартире, проужинал шестьдесят раз, поварился в семейном котле среди циничных, откровенных слов заранее огорченного отца («А кто он нам? Пусть идет, куда шел») и громких, не менее циничных возражений матери; за отчетный период Миша перебрал свой пуховой спальный мешок, с которым приехал к невесте, каждый вечер терпеливо разворачивал и перебирал комок за комком, затем выстирал все по отдельности в мыльной стружке, сам все приготовил: таз, тазик и ведро — опять разложил высохшее по полу, простегал крупными стежками, ни слова ни говоря, потом скатал, собрал вещи и вышел вон к ночному поезду, турист, походник, мужчина, немногословный, как полагается.

Ребенка у Д. не завязалось, Д. вообще все эти два месяца до ужаса стеснялась отца и мать, пребывающих за тонкой стенкой, они ни разу не ушли из дому, ни в кино, ни в гости, ни просто погулять, вроде бы сидели и сторожили.

Несостоявшийся зять, который все это время ночевал на полу в одиночестве, уезжал как бы временно, завязал свой рюкзак, водрузил на него спальный мешок выше головы и, наскоро простившись с плачущей Д., она лежала как в горячке на своей кровати, канул в вечность, не поняв и не приняв ничего, эту семейную атмосферу полной правды в выражениях, убрался домой куда-то за Уральскую гряду, где у него была своя, в свою очередь, еще не старая мать, тоже откровенная до ужаса, которая в ответ на телефонный звонок Д. прямо сказала: «Нечего сюда звонить, поняла? У него хорошая невеста тут».

Д. решила ночевать на полу, на своих одеялах, а тахту и ребристый диван пока только протереть, насчет же выбивания пыли подумать завтра, как это выволочь во двор.

Потом она села пить чай и все думала о тетке. Почему она завещала дом именно ей, причем тайно, вызвав ее на свой вокзал, отдала бумагу, говорила кратко, глядя на Д. круглыми, очень светлыми карими глазами (цвета чая) со своего румяного, коричневатого, как печеное яблочко, худого лица. Она вроде бы опаздывала (куда?) и спешила на поезд, хотя эти поезда ходили туда-сюда каждый час.

Причем, что чудом можно было бы назвать, на среднем пальце правой руки, когда тетка заботливо сняла самовязаную коричневую шерстяную варежку, у нее обнаружилось кольцо с круглым, выпуклым ясно-коричневым камнем точно под цвет глаз. Зачем тетка его надела на вокзал? Что за щегольство?

Позже-то это кольцо нашлось, Д. его обнаружила, вернее, изумилась, увидев, но именно позже.

Отношения между теткой и ее младшей сестрой, мамой Д., были давно, с детства, плохими, мама Д. родилась, когда тетке было уже восемь лет, и ревность поселилась в ее сердце, ревность и зависть, особенно когда мама Д. выскочила замуж, тетке нравился мамин жених, это явно. Такую семейную легенду мама повторяла не раз, а отец, смеясь, не отрицал. Сама тетка так и осталась при родителях старой девушкой, проводила инвалидов на погост вкупе с их болезнями и неподвижностями, несчастная, все звонила, приглашала попрощаться с еще живыми, чего прощаться заранее, не каркай, яичница, шутил отец. Он называл свояченицу «яичница» и часто говорил: «Яичница, напиши на меня завещание, ты же одна, хоронить тебя буду я».

Д. пила чай на свободе на теткином завещанном раздолье, за чистыми стеклами сиял негаснущий майский закат.

В детстве Д. провела здесь как-то летний месяцок, уже после смерти деда и бабушки, по очень важному поводу: мама Д. легла в больницу, а отец мигом уехал в командировку, и тетя вынуждена была взять маленькую Д. на дачу. Девочка Д. заболела вскоре, плакала перед сном каждый вечер, тосковала по маме с папой, а тетка приходила к ней, брала на руки, завернувши в одеяло, как младенца, даже сшила ей специальную куклу-мальчика, Пирамидона, чтобы Д. принимала пирамидон. Тетка читала ей какие-то непонятные стихи, при этом она зажигалась чуть ли не страстью и произносила стихи с силой, а Д. капризничала и не хотела слушать. Потом все душевные раны у маленькой Д. зажили, ребенок, как кошка, должен привыкать к одиночеству, если его бросили, что делать, она и привыкла к тете, неотлучно ходила при ней в магазин, на станцию, даже поехали однажды в электричке и на автобусе на почту в райцентр звонить. Тетя заказала разговор, взяла трубку, услышала чей-то голос, но говорить не стала, сразу вышла из кабины и со скандалом взяла обратно деньги за неиспользованный разговор. Они к тому моменту уже прожили вдвоем месяц, а тут вдруг, вернувшись в «Лабиринт», тетя собрала вещички Д. и повезла ее на электричке в Москву и там молча отдала в дверь отцу, мать тоже была дома, оказалось, мама провела в больнице только три дня, и отец сразу же вернулся, командировка была короткая, но они так, хитростью, решили заставить тетку взять маленькую Д. к себе на дачу! Свежий воздух нужен ребенку! Они проклинали тетку на все корки, они рассчитывали уехать в отпуск в военный санаторий, куда детей не брали. Уже были на руках путевки. Что же, пришлось сдавать одну путевку, и мать, ругаясь, поехала с Д. тоже в Судак, там сняла за дорого комнатку на двоих, и так и прожили недовольные двадцать четыре дня, а очень хотелось отдохнуть одним на воле без детей в военном санатории. Отец вечно опаздывал в свою палату, уходил от матери в санаторий нехотя, лазил туда в окно на первом этаже после отбоя, утром встречался с семьей недовольный, и они с мамой ругали и ругали тетю Лелю.

Так что воспоминания о тетке были самые недобрые, и почему она вдруг решила оставить Д. свою дачу, непонятно.

Но факт остается фактом, раздался звонок, далекий голос закричал: «Москва, говорите с Рузой»,— и теткин еле слышный голос назначил Д. свидание на вокзале, на шестой платформе у ступенек, завтра в три.

Тетка, как уже было сказано, сияла нездоровым румянцем после двух часов пути, глаза ее были прозрачные, как полированное красное дерево, и тетка сунула Д. согнутую пополам новую бумагу со словами:

— Ты у меня одна. Я тебя вспоминала, моя голубушка, как ты часто плакала, а я тебя баюкала. Я написала в твою пользу завещание на свой дом в «Лабиринте», тебе позвонят. Под дождевой бочкой в саду на глубине лопаты будет закопана стеклянная банка с подарком. Мой поезд скоро, беги, ты опаздываешь, ты стала такая взрослая, красавица...

Д., идя домой, поразилась, никто ей не говорил никогда, что она стала красавицей, мать, наоборот, критически смотрела на Д. и была всегда недовольна ее ростом, дородностью, румянцем, кричала, что меньше есть надо булочек в институте, что сейчас не модно быть толстой, не нажирайся хоть на ночь, опять все конфеты уничтожила!

И взрослой она стала даже слишком, работала в институте уже восьмой год, в справочном кабинете, заполняла формуляры вдали, в пыли, расписывала газеты и журналы по тематике, раскладывала по папкам, ходила с женщинами из библиотеки в бассейн, сеанс по воскресеньям в восемь утра. Сутулилась. Мать кричала в бессильной муке: выпрямись, кулема!

Д. прочла в метро составленное теткой завещание, причем вспомнила, что после смерти деда мама долго настаивала на том, чтобы Леля прописала к себе Д. или хотя бы съехалась с ними, с оставшимися в живых родными, но тетка Леля даже разговаривать не хотела, бросала телефонную трубку.

Д. не стала спрашивать старуху, что с квартирой.

Теперь, сидя на дачном участке в домике тети Лели спустя столько лет, Д. снова задалась вопросом, что же случилось с квартирой, это ведь было бы большое богатство для нее, стареющей библиотечной крысы, жить с отцом-матерью становилось невыносимо, они все трое сидели как в общей камере, в заколдованном тесном кругу своих двух комнат, причем старики имели обыкновение ругаться друг с другом, а Д. лежала на своем диване и грызла что-нибудь, глядя в телевизор.

Но квартира, видимо, пропала, мать с отцом куда-то вместе ездили после извещения о Леле, мрачные возвращались, Д. ни словечка. Что-то случилось с квартирой, если тетя Леля круглый год так и жила в этом почти картонном имении, в фанерных стенах, и не показывалась в Москве. Что-то случилось. Если бы отцу с матерью удалось что-либо получить, Д. сразу же узнала бы новость по их радости, по пению отца в кухне. Мать бы оказалась единственной наследницей тети Лелиной квартиры, и Д. была почти уверена, что немедленно все было бы продано и положено на сберкнижку «на старость».

Кстати, сама Д., приехав с вокзала тогда, сразу сказала старикам, что получила от тетки Лели завещание в виде дачного домика, они ворохнулись, захотели участвовать, закипели, всполошились, но Д. твердо сказала, что тетя-то жива еще.

Когда же Леля померла в райбольнице и им позвонили, то одна Д. поехала в ту больницу, повезла деньги, которые заняла у подруги, но там, в глуши, все оказалось много дешевле, чем в городе, она заказала гроб, грузовик, яму, всё.

Когда она вернулась после того первого раза, родители куксились, роптали, скучали, как малые дети, но наконец не вытерпели и произнесли свой приговор: не поедем! Вообще не поедем! И летом туда не поедем! Хотя это не одной тебе, я тоже наследница, заявила мама, обижаясь заранее.

Отец заорал, что будет приезжать на дачу, когда захочется, это общая дача семьи, ничего ты не сделаешь, родного отца не выгонишь, на что Д. робко ответила: «Родного ли?» Мать вскрикнула, отец грубо выругался, обычная вещь, заурядный разговор.

Всё. Д. справилась одна, вернулась с кладбища автобусом до станции, проехала на электричке две остановки и отмахала лесом до «Лабиринта» три километра со своим рюкзачищем, открыла наспех приколоченную доской дверь (замок сорвали воры), вдохнула запах яблочной гнильцы, сырости, едкой пыли...

В рюкзаке Д. всю эту нелегкую дорогу волокла старые одеяла, подушку, бельишко, пару банок консервов и полбатона, какие-то опять же старые одежки для работы на участке — на похороны приехала с этим добром и у могилы стояла держа рюкзак в ногах... Грузовик ушел сразу же, как только вытянули из него гроб, обратно пришлось шагать, ждать автобуса, опять мерить резиновыми сапожищами километры...

И вот теперь такая награда, чистый, теплый дом, батареи налиты горячей водой, горячая вода в чайнике, а выйдешь наружу — еще ледок на почве, холодный, свежайший воздух буквально щиплет горло не хуже газировки, захватывает дух от неба, тишины, месяца... Батон и консервы Д. умяла как мясорубка, на завтра оставались еще консервы, и что?

А было вот что: Д. обнаружила у тетки стеклянные банки с крупами, все они стояли в подполе, каждая такая банка (трехлитровая) была накрыта пустой консервной жестянкой, от крыс, и сверху придавлена булыжничком. Воры не нашли этот подпол, а там было много чего, варенья, соленья, они обнаружили другой, дверца в который была нещадно сорвана ломом, а в тот вел вход из-под шкафа, тетя Леля в свое время показала Д. эту тайну, тайничок.

Там же тетка хранила фарфоровую посуду, стопку тарелок, какие-то старозаветные молочник-сахарницу, затем новые половики, швейную машину, хорошо смазанную маслом, инструменты и какие-то ящики, надо будет посмотреть с гвоздодером.

Но это все Д. предусмотрительно опять задвинула шкафом, примерилась, походила и вдруг постелила себе на теткиной кровати.

Однако тут же она вспомнила про слова тети Лели о том, что под бочкой в саду закопана стеклянная банка с подарком, взяла лопату и вышла на воздух. Деньги за ту тетину квартиру?

Д. стала быстро представлять себе, как купит на эти деньги себе квартиру, не век же коротать жизнь в этой хибаре. Купит квартиру, мебель... Напишет Мише... Приезжай срочно связи изменениями жизни.

В бочке было уже до половины воды со льдом, пришлось вычерпать все ведром, завалить бочку, откатить ее и только потом взяться за раскопки. Сразу же звякнула лопата, и Д. вытащила из земли грязную баночку, пустую на вид, только на донышке что-то перекатывалось.

Открыв тут же, на воздухе, пластиковую крышку, Д. опрокинула баночку себе на ладонь и увидела то самое серебряное колечко со светло-коричневым камушком: было бы что прятать!

Тем не менее Д. сняла варежку и надела кольцо на безымянный палец правой руки.

И с этим орехово-коричневым кольцом она вышла на уже темнеющем закате в сад, подернутый первой зеленью, и открыла калитку.

Она остановилась под небом и стала радоваться, душа ее буквально расцвела, и долгие годы свободы и покоя встали перед Д., переливаясь как радуга.

И тут же Д. испугалась, услышав твердые шаги.

К ней приближался странный прохожий.

Он был в высоких кожаных сапогах, в странном полупальто и в барашковой шапке, а в руке у него была тонкая палочка. Как трость слепого.

Прохожий остановился и спросил у Д., не видела ли она тут другого такого же желтого дома. Там обитала такая красивая девушка одна, без родителей. Зовут Ольга.

Затем он помолчал и сказал Д., что вышел вслед за Ольгой, когда она вдруг куда-то исчезла, он бросился ее искать — и потерял даже дом. То есть что он пошел следом и плутает уже больше месяца.

«Больше месяца! — подумала Д.— Врет как!..»

— Я никого здесь не знаю,— чистосердечно ответила Д. и ушла, заперев калитку, и он удалился, а затем, убирая следы от своих раскопок и катя на место бочку, она опять увидела незнакомца, который двигался обратно, и вышла теперь к нему сама, и они стали обсуждать, что незнакомцу делать. То есть больше говорила сама Д., что можно идти на станцию три километра, два часа — и Москва. Надо посмотреть расписание. Должен быть еще один поезд.

Он же отвечал, что не из Москвы сюда приехал, в Москве и нет никого, уже нет.

Тут она лучше рассмотрела его: темное лицо, светлые, какие-то неземные глаза, которые все порывались смотреть вверх, как бы ища в светлых тоже небесах тот желтый дом, а может, ему было неудобно смотреть на толстую Д., румяную, здоровую, с растрепанной косой, с красными от ледяной воды руками, причем в старой куртке и замурзанных походных штанах.

Лицо у него было продолговатое, худощавое, со следами как бы неровного загара. Он был старше Д., то есть сорока с гаком лет, почти старик.

Он сказал, что ему показалось, что именно этот желтый дом ему нужен, ан опять дорога вывела не туда. Лабиринт какой-то.

— А это товарищество и называется так — «Лабиринт»,— весело сказала Д. и пошла вместе с новым знакомым обходить дома и искать другое желтое строение.

Дачные поселки тут перетекали один в другой, шли десятками километров вдоль железной дороги, а новый знакомый не знал ничего, кроме «Ольга» и «М.».

Ночь все не наступала, Д. сама заблудилась в этой череде тихих песчаных улиц. Месяц сиял над садоводством, пели соловьи. Д. с трудом нашла даже свой дом, в окне которого мелькнул свет. «Родители приехали!» — с ужасом подумала Д. и неуклюже сказала бедному страннику:

— А теперь позвольте откланяться!

И побежала, мотая косой, к себе за калитку.

Он остался стоять за забором, постукивая стеком по голенищу, легкомысленное постукивание для потерявшегося в лабиринте, а Д. с тяжело бьющимся сердцем взошла на крыльцо и толкнула дверь — она была не заперта, но домик оказался пустым.

В комнате горела лампочка, совершенно не нужная при стойком свете заката, бившего в окна. Д. вспомнила, что действительно оставила свет на всякий случай, чтобы не заблудиться.

Палочка уже не постукивала нигде.

Д. разделась, натянула огромную тетину полотняную рубаху, легла. Вовсю свистел один соловей. Где-то, в мокрых сапогах, голодный и бездомный, бродил неприкаянный человек. Сердце Д. уже не билось так гневно, утихло, опасность налета на дом со стороны родителей миновала, по крайней мере на сегодня, и Д. буквально начало пощипывать чувство какой-то потери, утраты, щемящей жалости. Да, умерла тетя Леля. Но главное, что рядом, в ловушках улиц, ходит человек. Искать его уже бесполезно, тут ведь лабиринт! Здесь можно ходить параллельно месяцами.

И вдруг, лежа в тетиной кровати и глядя в рассеянном свете ночи на металлические шары, Д. услышала топот, как будто кто-то тяжело бежал к дому по проулку. Тяжело, но размеренно, вроде бегуна на длинные дистанции, топ, топ, топ, топ. Пробежав мимо, остановился и стоял. Затем стукнула калитка, неуверенные шаги приблизились.

— Простите,— воскликнул глухой голос,— это не М. здесь обитает?

— Нет опять! — закричала Д.— Сейчас! Не туда! — Она быстро напялила на себя брюки, свитер и куртку, все это поверх ночной рубахи, и выскочила наружу.

Никого не было.

Д. выглянула за калитку.

Слева вдали угадывался на перекрестке тот темный силуэт в барашковой шапке.

Д. стояла и не двигалась. Что делать? На дворе уже одиннадцатый час, несчастный человек бродит и бродит.

— Идите! — крикнула Д.

И увидела, что он как-то задвигается за угол, исчезает, как резная фигурка в тире.

— Минуту! Месье! — почему-то ляпнула Д. и смутилась. Какой месье?

Он уже стоял рядом с ней, глядя в небо, где светил полным светом месяц.

— Месье, вы можете зайти ко мне хотя бы на чашку чая,— сказала Д., рассматривая его худое темное лицо.

Она пошла, он двинулся за ней, вошел в дом, вытер сапоги о мокрую тряпку, снял куртку, шапку, вымыл руки, вытер льняным тетиным полотенцем и сел за стол.

На нем был глухой черный сюртук, волосы лежали овечьей шерстью.

На безымянном пальце правой руки сиял прозрачный темный камень, точь-в-точь как у тети Лели, а теперь у Д.

Д. налила незнакомцу чаю, за вареньем пришлось бы лезть в тайник, отодвигать шкаф, и поэтому Д. сказала:

— Я только приехала, не обессудьте, ничего нет, никакой провизии.

— Я уже привык,— как-то с трудом ответил «месье» и стал жадно пить еле теплый чай.

Д. вдруг спохватилась и открыла банку консервов, это были какие-то дешевые частики в томате. «Месье» подождал, пока Д. выложила кучку рыбешек ржавого вида на блюдечко, и не спеша стал есть.

Д. пока что поставила чайник на плиту.

— А где Ольга? — спросил незнакомец.

— Вы не знаете? Я ее сегодня схоронила,— ответила Д.

— Боже! — откликнулся он и перекрестился.

— Вы ее знали?

— Я бывал тут. Я вам говорил: желтый дом, девушка Ольга М.

М.! Как раз у тети Лели была фамилия на «м»! Ольга!

Он ел медленно, с трудом шевеля челюстями, очень благородно. Худая рука держала алюминиевую вилку с неуловимой грацией. Он опирался запястьями на край столешницы. Из-под рукавов виднелись безукоризненно белые обшлага рубашки.

Д. вдруг застеснялась, удалилась в комнату, хотела переодеться, но было не во что, вместо этого она сняла с себя брюки и свитер и осталась в тетиной рубахе, большой, полотняной, с кружевцами у воротника.

И в таком виде, перекинув косу на грудь, она вошла в носках и села за стол.

А прохожий уже лежал на старом диване, ровно дышал, сложив руки на груди, крупные веки его были сомкнуты, но не плотно.

Д. вернулась в тетину комнату и принесла свое одеяло накрыть ему ноги.

Чайник вовсю кипел на плите.

Д. снова села за стол и стала смотреть на пришельца, все больше узнавая его.

— Александр Александрович,— сказала она,— я постелю вам в комнате, пока отдыхайте, а потом перейдете туда.

Она пошла, накрыла тахту чистым бельем, хорошо, что взяла с собой две смены, положила сверху свою подушку и последнее одеяло, больше было нечего.

«Сама укроюсь курткой, мало ли»,— подумала Д.

У тети в тайнике имелось много всего по ящикам, завтра надо будет проветрить, подсушить, постирать. Может, обнаружатся еще белье и одеяло.

Затем Д. выключила чайник, погасила свет, заперла дверь, пошла к себе и на сон грядущий взяла с тетиного столика старую, отсыревшую книжку: Александр Блок. «Стихотворения».

И каждый вечер, в час назначенный
(Иль это только снится мне?),
Девичий стан, шелками схваченный,
В туманном движется окне.

И медленно, пройдя меж пьяными,
Всегда без спутников, одна,
Дыша духами и туманами,
Она садится у окна.

Глаза Д. были полны слез. Это ее несостоявшаяся
судьба открылась, засияла вечерними огнями, пове-
яло тонким запахом духов, на голове плотно сидела
легкая большая шляпа, платье лилового шелка
шуршало в коленях, затянутое у пояса. Перчатки
охватывали руки Д., зеркало отражало ее нежное,
румяное лицо с большими ореховыми глазами,
вьющиеся густые волосы под шляпой, блестящие
коричневые брови, тонкие губы.

И веют древними поверьями
Ее упругие шелка,
И шляпа с траурными перьями,
И в кольцах узкая рука...

Напрасно сожгла все бумажки, думала Д., может,
там были какие-то объяснения. Хотя какие должны
быть объяснения? После того как Лелю увезли в
больницу, Александр Александрович испугался,
пропал, заблудился, но тетино кольцо сделало свое
дело, он все-таки вышел спустя месяц к желтому дому, к тому дому, где лежала на ночном столике чи-
таная-перечитаная книжка его стихов, к своему дому на Земле...

Мост Ватерлоо

Ее уже все называли кто «бабуля», кто «мамаша», в транспорте и на улице.

В общем, она и была баба Оля для своих внуков, а дочь ее, взрослый географ в школе, полная, большая, все еще жила вместе с матерью, а муж дочери, ничтожный фотограф из ателье (неравный брак курортного происхождения),— муж этот то приходил, а то и не являлся.

Баба Оля сама жила без мужа давным-давно, он все уезжал в командировки, а затем вернулся, но не домой, плюнул, бросил все, имущество, костюмы, обувь и книги по кино; все осталось бабе Оле неизвестно зачем.

Они так и поникли вдвоем с дочерью и ничего не делали, чтобы вернуть ушельцу вещи, было больно куда-то звонить, кого-то искать и тем более с кем-то встречаться.

Папаша, видно, и сам не хотел, было, видимо, неудобно — счастливым молодоженом, имеющим маленького сына, являться за имуществом в квартиру, где гнездились его внуки и жена-бабушка.

Может быть, считала баба Оля, ТА его жена сказала: плюнь на все, что надо утром купим.

Может быть, она была богатая, в отличие от бабы Оли, которая привыкла к винегрету и постному маслу, ботинки покупала в ортопедической мастерской для бедных инвалидов, как бы детские, на шнурках и шире обычного: из-за шишек.

Облезлая была баба Оля, кроткий выпученный взгляд из-под очков, перья на головке, тучный стан, широкая нога.

Баба Оля была, однако, удивительно доброе существо, вечно о ком-то хлопотала, таскалась с сумками по всяким заплесневелым родственникам, шастала по больницам, даже могилки ездила приводить в порядок, причем одна.

Дочь ее географ в этом мамашу не поддерживала, хотя сама была готова расшибиться в лепешку для своих так называемых подруг, их кормила, их слушала, но не бабу Олю, отнюдь.

Короче, баба Оля легко улепетывала из дому, настряпав винегретов и нажарив дешевой рыбешки, а дочь-географ, малоподвижная, как многие семейные люди, зазывала подруг к себе, шло широкое обсуждение жизни с привлечением примеров из личной практики.

Муж географа обычно отсутствовал, этот муж из фотоателье привычно вел побочное существование при красном свете в фотолаборатории, и мало ли что у него там происходило, сама дочь-географ прошла когда-то через этот красный свет, вернувшись с курорта в обалделом виде, юная очкастая дылда с припухшими глазами и как будто замороженным ртом, а потом она и привела домой фотоработника (к тому же алиментщика и без жилья) к порядочной маме и тогда еще папе в их маленькую трехкомнатную профессорскую квартиру, дура.

Дело прошлое, много воды утекло, а баба Оля, оставшись и сама без ничего после ухода профессора, ни рабочего стажа, ни перспектив на пенсию и ни копейки в зубы, а также в проходной комнате (фотограф с географом быстро заняли изолированную после ухода отца, так называемый кабинет, раньше они с детьми жили в запроходной, теперь пошли на расширение, что способствует семейной жизни, а баба Оля как спала на диване в гостиной, так там и застряла), она теперь по своей новой профессии много топала и шлепала по лужам, будучи страховым агентом, колотилась у чужих дверей, просилась внутрь, оформляла на кухнях страховые полисы, вечно с пухлым портфелем, добрая; нос потный, зоб как у гуся-матери.

Некрасивая, болтливая, преданная, вызывающая у посторонних людей полное доверие и дружелюбие (но не у своей дочери, которая ни в грош не ставила мать и полностью оправдывала ушедшего папу) — такова была баба Оля и совсем не жила для себя, забивая голову чужими делами и попутно тут же при знакомстве рассказывая свою историю блестящей певицы из консерватории, которая вышла замуж и уехала с мужем по его распределению в заповедник Тьмутаракань, он там делал диссертацию, а она родила и т. д., в доказательство чего баба Оля даже исполняла фразу из романса «Мой голос для тебя и ласковый и томный», хохоча вместе с изумленными слушателями, которые не ожидали такого эффекта, поскольку в буфете начинали звенеть стаканы, а с подоконника срывались голуби.

Дочь-то, разумеется, а также и внуки не выносили бабы Олиного пения, поскольку из бабы Оли в консерватории растили оперную, а не комнатную певицу, причем редкого тембра драматическое сопрано.

Однако и на старуху бывает проруха, и в данном случае баба Оля как-то не выдержала бремени и хлопот от бесплодных звонков по чужим подворотням и вдруг завеялась в кино лично для себя: там тепло, буфет, картина иностранная и, что интересно, множество сверстниц у входа, таких же теток с сумками.

Какой-то как бы шабаш творился у дверей маленького кинотеатра, и баба Оля, кривя душой и уговаривая себя хоть немного отдохнуть, потопала неудержимо, влекомая странными чувствами, к кассе, купила себе билет и вошла в чужое теплое фойе.

У буфета толпились люди, была и молодежь парочками, и баба Оля тоже взяла себе какой-то сомнительной сладкой водички, бутерброд и якобы пирожное за бешеные деньги, гулять так гулять, а затем, утершись клетчатым платком мужа, в непонятном волнении она вместе с толпой вошла в зал, села, сняла с себя меховую кубанку на резиночке, шарф, расстегнула зимнее обдерганное пальто, когда-то шикарное, синий габардин и чернобурка, в зеркало лучше не смотреться,— и тут погас свет и возник рай.

Баба Оля увидела на экране все свои мечты, себя молоденькую, тоненькую как тростинка в заповеднике, с чистым личиком, а также увидела своего мужа, каким он должен быть, и ту жизнь, которую она почему-то не прожила.

Жизнь была полна любви, героиня умирала, как мы все умрем, в бедности и болезнях, но по дороге был вальс при свечах.

В конце баба Оля плакала, и все вокруг сморкались, и потом, еле перебирая ногами, баба Оля отправилась снова собирать дань как трудовая пчела, опять поцеловала две запертые двери и, сломавшись на профессиональном поприще, поползла домой.

Автобус со слезящимися стеклами, парное метро, одна остановка пешком, третий этаж, густой домашний запах, детские голосишки в кухне, родное, любимое, знакомое — стоп.

И вдруг баба Оля, как наяву, увидела перед собой полное нежности и заботы лицо Роберта Тейлора.

Назавтра она опять мчалась в тот район пораньше с утра, застала клиентов на дому, собрала с них деньги, завязала еще несколько знакомств на кухнях в тех же коммуналках, приглашая людей выгодно застраховать жизнь и еще по дороге в качестве приза получить компенсацию за все ушибы, переломы и операции, что самое заманчивое, и люди охотно ее слушали, задумывались о судьбе, дело продвигалось, и затем баба Оля опрометью кинулась в знакомый кинотеатр на утренний сеанс.

Там, однако, шел уже другой фильм, детский.

Тем не менее у кассы баба Оля застала одно полузнакомое лицо, вчерашнюю бабульку в каракулевой папахе, еще довольно молодую, бабулька тоже прилетела в этот кинотеатр с утра пораньше и теперь, обездоленная, спрашивала, где висит киноафиша, явно чтобы пробраться в другое кино, где демонстрируется любимая картина.

Баба Оля насторожила ушки, переспросила, поняла суть вопроса и назавтра — только назавтра — в одиночестве засеменила на свидание с любимым и опять вернулась в тот волшебный мир своей другой жизни.

При этом она уже меньше стеснялась других бабулек и в том числе себя и на выходе видела счастливые заплаканные лица и сама утиралась большим мужским носовым платком, оставшимся ей на память, как осталось ей на память мужское шерстяное белье, так называемое егерское белье, и она поддевала это белье в морозы, а также и кальсоны на ночь, а дочь носила в школу папины клетчатые рубашки под сарафан: надо жить!

— О господи,— думала честная и чистая как горный хрусталь баба Оля,— что со мной, какое-то наваждение. И главное, эти старухи бегают с сеанса на сеанс, кошмар...

Сама она себя старухой не чувствовала, у нее еще многое было впереди, мало ли: бабу Олю ценили на работе, уважали клиенты, она содержала теперь семью и даже купила детям аквариум и ездила с ними на птичий рынок за рыбками, надеясь забыть ТО, главное (баба Оля умела управлять своими страстями, умела жертвовать собой, в Тьмутаракани например).

Однако ни фига не вышло, говорила себе баба Оля после очередного посещения клиентов на дому: о чем бы ни говорили, она обязательно снова и снова вворачивала любимое имя, Роберт, название фильма («Мост Ватерлоо») и подробности жизни актеров.

Люди пытались рассказывать ей о своем, а баба Оля опять упоминала, допустим, позавчерашний сеанс и в каком кинотеатре дальше пойдет картина.

Она уже сама чувствовала, что скатывается куда-то вниз, особенно в глазах клиентов, что она уже не так прилежно внимает всем этим историям, не так заинтересованно, как раньше, обсуждает их квартирные интриги, суды, измены, планы, а что она уже слушает все это как бы машинально, кивая и хлюпая носом в поисках носового платка, но что сквозь всю эту дребедень, накипь, пену жизни просвечивает то, главное, муки ЕГО. И, попутно, муки ЕЕ.

И наконец баба Оля окончательно определилась в жизни.

Она плюнула на все условности.

И главнейшей своей задачей баба Оля почитала теперь не страхование и не сбор взносов, а внушение погруженным в персть земную клиентам, именно что внушение мысли, что есть иная жизнь, другая, неземная, высшая, сеансы, допустим, девятнадцать и двадцать один, кинотеатр «Экран жизни», Садово-Каретная.

Глаза ее при этом сияли сквозь толстые очки.

Зачем и почему она это делает, баба Оля не знала, но ей было необходимо теперь нести людям счастье, новое счастье, нужно было вербовать еще и еще сторонников «Робика», и она испытывала к редким новобранцам (новобранкам) нежность матери — но, с другой стороны, и строгость матери, была их проводником в том мире и охранителем от них правил и традиций. У нее уже имелась толстая тетрадка с переписанными из газет статьями о Роберте Тейлоре и Вивьен Ли.

Там же были вклеены портреты и кадры из фильма, тут поработал никуда не годный зять под красным фонарем в своей сомнительной фотолаборатории: с паршивой овцы!

Худо было то, что орды теток и бабок слетались на священнодейства, это уже был какой-то содом и гоморра, рыдания, истерики, ходили по рукам поэмы.

Был установлен день рождения «Робика», и они отмечали это свое рождество в фойе кинотеатров, пили кагор и беленькую, шумели перед сеансом, а баба Оля, как строгий жрец, праздновала одна дома на кухне.

Встречаясь, они рассказывали друг другу как *было*, баба Оля же не допускала до себя эти их пустяки, хранила свою тайну, но в тиши ночей сама писала стихи и потом неудержимо поверяла их своим клиентам, выбрав момент.

Не бабулькам же декламировать, им прочтешь, они тут же читают тебе в отместку доморощенные глупости типа «И много девушек так сладко перещупал», тьфу!

Баба Оля проборматывала свои возвышенные стихи особо избранным клиентам. Она торопилась, шмурыгала носом, очки заплывали слезой.

Слушатели маялись, глядели в сторону, как тогда, когда она, расчувствовавшись, пела в полную мощь, и баба Оля понимала всю неловкость своего положения, но ничего не могла с собой поделать.

Где, когда и как постигает человека страсть, он не замечает и затем не способен себя контролировать, судить, вникать в последствия, а радостно подчиняется, наконец найдя свой путь, каким бы он ни был.

«Это безобидно,— твердила себе баба Оля, счастливо засыпая,— я умная женщина, а это никого не касается, это, наконец, только мое дело».

И она вплывала в сновидения, где один раз даже проехалась с Робертом Тейлором на открытой машине, оба они сидели на заднем сиденье, больше в ЛАНДО никого не было, даже шофера, и ОН полуобнимал плечи бабы Оли и преданно сидел рядом.

Вот кому расскажешь такое!

Однажды только был позорный момент, потому что не шляйся ночами (как сказала дочь-географ)!

Баба Оля шла развинченной походкой после сеанса где-то у черта на куличках, чуть ли не у Заставы Ильича — охота пуще неволи,— и ее обогнал молодой мужчина, высокий, полный, в шапке-ушанке с опущенными ушами (а баба Оля шла по-молодому, кубанка набекрень, и чуть ли не пела в мороз, напевала «Растворил я окно»), и этот молодой человек на ходу, обогнав бабу Олю, заметил:

— Какая у вас маленькая нога!

— Шшто? — переспросила баба Оля.

Он приостановился и задал вопрос:

— Размер ноги какой?

— Тридцать девять,— удивленно ответила баба Оля.

— Маленькая,— печально откликнулся молодой человек, и тут баба Оля ринулась мимо него домой, домой, к трамваю, хлопая портфелем.

Но затем, ночью, уже по трезвом размышлении, жалкий и больной вид молодого человека, его шаркающие подошвы, небритый, запущенный облик и тем более темные усики смутили бедную бабу Олю: кто это был?

Она пыталась сочинять о нем известные истории типа мама умерла, нервное потрясение, уволился, сестра с семьей не заботится и гонит и так далее, но что-то тут не совпадало.

Баба Оля, несмотря на упреждающие крики дочери, следующим вечером опять поехала на фильм туда же, на тот же сеанс.

И она начала понимать, посмотрев еще раз на Тейлора, кто встретился ей на темной улице после кино, кто это шел больной и запущенный, тоскующий, небритый, но с усиками.

И действительно, если подумать, кто еще мог таскаться искать свою любимую, когда о ней забыли в целом мире, кто мог бродить по такому месту, как Застава Ильича в 1954 году, какой бедный и больной призрак в маловатом пальто, брошенный всеми, бродил, чтобы явиться на мосту Ватерлоо самой последней душе, забытой всеми, брошенной, используемой как тряпка или половик, да еще и на буквально последнем шагу жизни, на отлете...

Как Пенелопа

Жила-была девушка, обыкновенная, ничем не примечательная, никому особенно не нужная, кроме мамы. Никто на эту девушку не обращал внимания, не дарил ей цветов (мама на день рождения не в счет).

Девушка к этому привыкла. Она была какая-то несуразная, слишком высокая, но не такая как модель; чего-то не хватало.

Может быть, сказывалась ее сдержанность, даже какая-то суровость. Она училась в малоизвестном университете на факультете, как она выражалась, «елок и палок». Туда на бесплатное место было поступить много проще, и в дальнейшем наша незаметная девушка должна была затеряться в лесах, работать по учету этих елок-палок и сидеть в какой-нибудь конторе, оформлять бумажки.

Они пока что жили с мамой в своей маленькой квартире в блочном доме на четвертом этаже. Все было как у всех, нормальное существование, только одна квартира по дороге наверх была как страшная пещера — там жила семья настоящих разбойников, они держали в страхе всех соседей. Там происходили вечные войны, даже стены и полы дрожали от стуков и грохота. Девушка проходила мимо сильно помятой железной двери нижней квартиры всегда с бьющимся сердцем. Тамошняя мать со своим кипящим семейством вечно справляла ежедневные праздники жизни, и иногда этот бешеный карнавал вываливался, как из мясорубки, на лестницу с песнями, драками и криками «убивают».

Девушка боялась их, и на улице тоже всех боялась, одевалась потемнее, шапку натягивала до бровей, сутулилась. Приходилось ведь поздно возвращаться с языковых курсов, у них в елочном университете завели такое довольно недорогое обучение в расчете на мировой авторитет родных лесных запасов и на их дальнейшую распродажу за кордон. Девушка восприняла этот дар судьбы с полной серьезностью и зубрила английский каждую свободную минуту. Мама ей помогла, рассказав о методе обучения дедушки Ленина — сначала этот малоизвестный Ленин переводил полстраницы на русский и тут же переваливал переведенный кусок обратно на иностранный. Данный метод пригодился нашей девушке, которую звали Оксана. Имя у нее было торжественное и красивое, но сама девушка считала, что она ему не соответствует, ей больше бы подошло простое «Лена» или «Таня». Или, на худой конец, церковное «Ксения».

Оксана пыхтела, переводя лесотехнические тексты туда-сюда, осваивала английские названия пород деревьев, все эти «дубы» (oaks), «березы» (birches) и «ивы» (willows), а также искала такие редкостные для англичан термины, как «сплав», «трелевка» и «лесоповал». Ни больше ни меньше как учащихся готовили к каторжной работе в лесах Англии, чтобы потом гнать бревна по Темзе, а там и без нас безработица, роптали другие посетители курсов, которые хотели освоить прежде всего разговорную речь.

Мама ее пока что пребывала без работы, хотя уже не претендовала на то, чтобы быть редактором, а пыталась устроиться хотя бы корректором. Она пробовала звонить по объявлениям, и ей предлагали рукописи для редактирования на испытательный срок, полагалось все сделать быстро, за две недели — в первом случае перевод романа в двух томах, затем фантастический боевик нашей авторши мелким шрифтом пятьсот страниц и наконец перевод учебника по фармакологии, часть первая и вторая. Мама Оксаны сначала хохотала над этими текстами и цитировала самые удачные места Оксане (особенно отличался фантастический боевик со словами «по улице шла прохожая» и «он сел на стул за стол»). Потом мама пыхтела, не спала ночей, исправляла все до запятых, а как же. А затем каждый раз ей приходилось вызванивать заказчиков и выслушивать одно и то же от их секретарш: «Спасибо, вы не прошли испытательный срок». Оксана плохо относилась к этим издательствами, справедливо подозревая, что таким образом они вообще обходятся бесплатной и высокопрофессиональной редактурой. А ее мама, наоборот, горевала, что утратила профессиональный уровень.

Чтобы как-то прокормиться, мама Оксаны, Нина Сергеевна, устроилась охранницей-уборщицей в какой-то учебный центр для детей и проводила там время у дверей в фанерном закутке, вместе с большой перекормленной дворняжкой, которая в основном лежала на ватном одеяле и нервно брехала в ответ на каждую повышенную интонацию педагогов в процессе обучения. «А теперь, дети, все смотрим на меня, я говорю, на-ме-ня!» — «Рр-гав!»

А потом даже и эта небогатая, не очень веселая жизнь резко изменилась в худшую сторону: в один прекрасный вечер раздался междугородний трезвон и слова «Будете говорить с Полтавой». Это оказалась мама первого мужа Нины Сергеевны, погибшего еще в молодости. То есть бывшая свекровь с Украины. С которой много слез было пролито и которая иногда приезжала навестить свою бывшую невестку, даже когда та вышла замуж и родила Оксаночку. На такой случай Клавдия эта Ивановна явилась в Москву и привезла в качестве подарка рюкзак мальчиковых вещей на вырост и самое дорогое — одеяльце своего десятилетнего внука Миши. Клавдия Ивановна затем потеряла и второго сына, водителя, чей ребенок Миша так и остался жить у нее, поскольку его, в свою очередь, так называемая мать вскоре вышла замуж и уехала не куда-нибудь, а с мужем на его историческую родину, в Израиль. Мише было уже четырнадцать лет, и он отказалася наотрез переезжать туда с мамой, тут друзья, школа, и он остался при бабушке Клавочке. Маленькой Оксане потом приходилось много лет носить перешитые на другую сторону мальчиковые рубашки и даже праздничный изумрудный пиджачок Миши с ватными плечами, от чего она плакала. Такая сложнейшая семейная история стояла за этим полночным звонком. Оксана терпеть не могла этого заочного Мишу, которого всегда одевали в коричневые и почему-то зеленые колючие шерстяные штаны.

Бывшая свекровь сообщила Нине Сергеевне, что Мишу грозились убить за долги, отобрали у него все, переписали на себя его фирму, и Клаве пришлось ради него продать свою квартиру и переехать на дачный участок, но дом там фанерный, потом в товариществе отключили воду и электричество, в колодец на улице кто-то насыпал мусор, дрова кончились, собирала по улицам ветки, но они сырые, не горят. Холод лютый в декабре, пошел снег-то, талдычила старушка деревянным голосом, приехала в город, получила пенсию, в свой бывший дом боялась показаться, а то, Миша сказал, возьмут тебя заложницей, сиди тихо. Ела в кафе щи и гарнир макароны, потребовали за них большие деньги. Затем бабушка деревянным голоском пожелала всем, Ниночке и Оксаночке, счастья в наступающем году и замолкла. Тут мама Нина прокашлялась и позвала Клавочку приехать, продиктовала ей адрес (в переговорном пункте возник переполох, бабушке потребовалась ручка и бумажка), и Нина Сергеевна затем деловито попросила перезвонить и сообщить номер поезда и время прибытия. После чего она положила трубку и вытаращила свои и без того большие глаза в пространство. Ее длинная нескладная дочь сидела неподвижно.

— Начинается,— сказала она после длинной паузы.

Оксана, привыкшая к маминым бесконечным и безрассудным актам помощи кому попало, даже не удивилась. Последнее событие такого рода произошло буквально вчера, у Белорусского вокзала, когда шел снег. Мать возвращалась домой, покинув сторожевую будку и собаку, усталая и в горестных размышлениях о своем жизненном пути редактора, приведшем ее в результате к карьере поломойки. Затем, по собственным словам, она увидела впереди себя на мосту очень прямо идущую женщину средних лет, которая передвигалась с высоко поднятой непокрытой головой, и на этой голове, на куче взбитых в узел волос, сидела довольно плотная нашлепка снега. Как на памятнике, подумала Нина Сергеевна. И, обгоняя это необыкновенное человеческое существо, она не выдержала и засмотрелась на его неподвижный каменный профиль (так Нина С. выразилась). Увидела обычную тетку и поспешила мимо к теплому метро, так как замерзла. Но скоро та женщина ее догнала и спросила: «Вы в Минск едете?» — и, получив отрицательный ответ, стала говорить, что ей-то надо в Минск, но нету денег. Ее обманули, сказал этот каменный памятник со снегом на башке, должны были прийти на вокзал принести ей деньги и не пришли, а телефон не отвечает. Она сама из Белоруссии и привозила на реализацию белорусские кремы и шампуни. Но ей не принесли денег. Памятник даже предъявил белорусский паспорт. Денег на обратную дорогу нет, сказал этот неподвижный памятник, потому что должны были принести денег на вокзал и не принесли. В паспорте было имя «Ганна», почему-то Нина Сергеевна это запомнила. Мама Оксаны попросила эту Ганну дойти сначала до метро, потому что холодно. На подходе к метро памятник стал тормозить и горько спросил: «Вы меня хотите сдать милиционерам?» Нина Сергеевна ответила «нет» и вдруг увидела, что у метро действительно стоят группами по двое-трое милиционеры.

И сообразила, что у этой Ганны нет московской регистрации и ее и правда могут арестовать. И как-то виновато загородила Ганну от ментов. В метро она спросила, сколько денег нужно. Ганна вдруг испугалась и стала бормотать «триста тысяч», потом сказала «пятьсот тысяч», совсем запуталась, что-то посчитала в уме и произнесла наконец «триста рублей». Нина Сергеевна достала из кошелька деньги, дала требуемое несчастной Ганне, та вдруг захотела узнать адрес, чтобы выслать долг, а потом спросила, а где тут туалет и сколько он стоит. Она была, что называется, не в себе совершенно. «Меня зовут Анна»,— вдруг сказала она. Нина Сергеевна тогда добавила к уже выданному пособию еще десятку на туалет и из своего пакета батон, который купила на ужин.

Триста рублей — это была треть того, что оставалось от пенсии Нины Сергеевны на целый месяц после уплаты за квартиру. И хорошо еще, что памятник не запросил пятьсот рублей, мама Оксаны отдала бы и это.

Так что мама у Оксаны была известный типаж, что и говорить, с ее широко открытыми глазами и полной верой во все, на что ей жаловались,— она кидалась помочь даже безо всяких просьб.

Короче говоря, через день они встретили на Киевском вокзале Клавдию Ивановну, суровую старушку со скорбными, сухими, горящими черными глазками. Одета она была хуже бомжихи, в какое-то грязное помойное пальто. От внука, как оказалось, не было никаких вестей. Клавдия в сидячем положении походила на фигуру деревянной святой (у Оксаны была в детстве замечательная книга о пермской церковной скульптуре). Спать ее положила вместе с собой на широком раскладном диване Нина Сергеевна (в запроходной комнатке места больше не было). Из вещей у Клавочки был уже знакомый облезлый рюкзак с одежкой из дачного домика (треники для пахоты и прополки, мальчиковые рубахи и какой-то случайный мужской бушлат), две картонные иконы и мешок яблок. Внук Миша не рекомендовал возвращаться когда бы то ни было в квартиру за вещами, и зимнего у Клавочки не оказалось ровно ничего. Она молилась незаметно, как ей казалось, разместив иконки за стеклом книжной полки. То и дело Клавочка поглядывала на них, она посылала им свои пламенные взоры отовсюду, даже из кухни сквозь стенку. Яблоки, мелкие и кислые, есть никто не стал, и Клавочка поставила их гнить под стол на кухне, не вынимая из мешка. Клавочка была убеждена, что яблоки эти зимние и еще созреют, как раз к Новому году. Это было ее единственное приданое, вывезенное с дачного участка.

Тем временем Нина Сергеевна забегала, возобновила телефонную связь с одной полузабытой подругой по курорту, которая, выйдя на пенсию, занималась теперь благотворительной деятельностью. Нина С. объяснила ей про бездомную мигрантку, та прониклась и велела приходить тогда-то туда-то на Таганку, это оказался секонд-хенд, потом Н. С. даже была отведена на какой-то благотворительный склад для неимущих и принесла оттуда не только приличную куртку и два теплых халата Клавочке, но и некоторый просторный занавес апельсинового цвета с золотистым отливом, по виду легкий шелк.

— Это еще зачем тряпки тащишь, мало у нас тряпья? — спросила суровая Оксана.

— Ну предлагали, я взяла.

— Синтетика,— сказала Оксана сурово, подозревая мать в нехороших намерениях. В соседней комнатушке под столом стояла готовая к работе машинка «Зингер» дореволюционных времен, в футляре красного дерева с перламутровым вкраплением, так называемой интарсией (формулировка Нины С.).

— Шелк, шелк,— безмятежно откликнулась Нина С.

В дальнейшем Клавочка неохотно рассказала, что у внука было издательское дело, он печатал календари, потом сделал ставку на монографию одного московского художника, решил заработать в столице, тот художник ему внушил, что он в моде, но тираж не разошелся и так далее. За бумагу задолжал, за печать тоже, его поставили на счетчик, прислали трясунов. «Кого?» — переспросила Нина С.

— Они долги вытрясают, сказано, трясуны,— поянила Клавочка.

Оксана тем временем ушла с дневного отделения своего древесного университета, устроилась в фирму ландшафтного дизайна (родственное направление елкам и палкам). Платили мало, но Оксана работала на совесть, засиживалась за бумагами и беспрекословно выполняла все указания как хозяйки, так и бухгалтерши, хотя дома пыталась ворчать. Нина Сергеевна, насмотревшись на наряды бизнесвумен в телесериалах, тут же сшила ей по выкройкам «Бурды» деловой костюм, со стыдом разыскавши для личных нужд в тех же благотворительных источниках шерстяной отрез, к костюму она сбацала две строгие белые блузочки из простынного материала, купленного в отделе лоскутов. Только подходящей обуви не было для Оксаны, туфелек со шпильками китайцы не выпускали на ее сорок первый мужской размер.

До диплома оставалось теперь два года.

Клавочка плохо спала и стеснялась этого, неподвижно лежала у стенки, хотя приходилось вылезать по надобности, но усталые мать с дочерью спали как убитые, дорожа каждой минуткой сна. Нина Сергеевна бегала в свободные от работы дни, хлопотала о гражданстве для старушки, хотя бы о временной регистрации, чтобы можно было вызвать врача. Ей приходилось тяжело. Шла оборона Москвы новым ополчением, силами учрежденческого персонала! Рядами, вооруженные до зубов, пряча печати и не давая справок, они занимали боевые позиции, только что без лозунгов типа «Но пасаран». Нине Сергеевне как агенту вражеских сил отказывали повсюду.

По чему Оксана тосковала, так это по своим английским курсам. В дороге она доставала из сумки всегда одну и ту же книжку, «Собаку Баскервилей» в оригинале, но тут же клевала носом.

Добившись каких-то минимальных сведений от товарищей по несчастью и очередям, Нина Сергеевна поехала в Полтаву. Нужны были данные из архива, что Клавочка родилась в Ставропольском крае, то есть была урожденной русской гражданкой. Паспорту новые защитники Москвы, оказалось, не доверяют!

Клавочка замерла от страха на эти три дня. Она боялась, что трясуны узнают ее новое место жительства. Она боялась, что Миша, если до него дойдет, что ее взяли заложницей, немедленно явится, и его убьют. Если его уже не убили.

Когда замученная Нина Сергеевна вернулась с бумажками и с победой, Клавочка, бледно улыбаясь, спросила:

— Ты что, ходила ко мне?

— Да упаси боже,— легко отвечала Н. С.— Только в архив. Теперь тебе должны дать гражданство! И пенсию!

Когда Клавочка удалилась к телевизору, мама Нина пояснила дочери:

— Я только в ее дворе посидела на лавочке. Якобы я хочу снять квартиру. Якобы я москвичка, сдам свою квартиру в Москве и сниму в Полтаве. Якобы мне климат подходит. Так придумала. Типа у меня астма. И не сдает ли кто. Ну, мне ничего не сказали. А купить сколько у вас стоит? И нет ли пустых квартир. Нет, говорят, не продается ничего. А мне, говорю, сказали, что десятая квартира недавно была продана. Промолчали. Я пошла, попрощалась, меня одна женщина догнала. Мы поговорили. Некто Валентина. Я ей телефон свой оставила, если что надо, пусть мне звонят,— добавила она простодушно.

— Ну и зачем ты это сделала?

— Что-то мне показалось, что она умалчивает о чем-то. Она тоже дала мне свой телефон. Ты же знаешь, что у меня чутье на людей.

— О-о. Эт-то мы проходили. Как бы про памятник на Белорусской.

— Все эти бабы, они должны помнить и Клавочку, и ту ее невестку. Ну, маму Миши. Особенно эта Валентина.

— И что ты ей сказала?

— Разумеется, ничего.

— Ма! Ну когда ты будешь думать над своими поступками?

— Валентина, кстати, вроде бы между делом вспомнила про Клавочку из этой десятой квартиры. Дескать, где она, как она. Что знала ее, так как работала в детской поликлинике медсестрой. Что Мише банки ставила. В санаторий его устраивала, когда у него отец, Анатолий, сын Клавочки, погиб. Так что я недаром с этой Валентиной говорила.

— Вот-вот. Жди теперь как бы гостей.

Оксана даже не подозревала, насколько была права.

Двадцать восьмого декабря, поздно вечером, в квартире раздался трезвон междугородней.

— Да, да! — подхватив трубку, сказала Нина Сергеевна.— Москва, да, будет говорить! Иерусалим вызывает! — (Пояснила она дочери, которая высунулась из ванной.) — Клавочка! Клавочка! — вдруг завопила она.— К телефону! Оксана, подыми ее!

Оксана бросилась из ванной в спальню, где в темноте маленьким холмиком под толстым одеялом проступало тельце Клавочки.

— Пойдемте, пойдемте,— бормотала Оксана,— там вас к телефону!

— Кто, кто? — шептала в ответ Клавочка.— Не пойду, бог с тобой. Трясуны?

— Не знаю, не знаю,— повторяла Оксана.

Ее мать между тем что-то вопила в телефон, что-то даже вроде диктовала, кого-то слушала с красными щеками.

Когда Клавочка поднесла к уху трубку и своим жестяным голоском сказала «Вас слушают», связь внезапно прервалась.

— Кто это, кто говорит? — безнадежно спрашивала Клавочка у молчащего эфира и повторяла: — У телефона!

— Не знаю, не знаю,— пожимала плечами Нина Сергеевна.— Иерусалим!

— Лена? — помолчав, сказала уверенно Клавочка.

— Да она не представилась.

— Жива, не преставилась,— покивала старушка и пошла в туалет.

Вернувшись, она сказала:

— Во, сколько прошло, она забеспокоилась про сына. Совесть заговорила. А со мной не захотела.

На следующий вечер, чтобы как-то порадовать своих, Оксана прихватила со склада небольшую тую в горшке — чтобы она сыграла роль елочки с последующим возвращением на место.

Клавочка посмотрела на тую и сказала:

— О, вечный покой.

Такое у нее было настроение. Она трудолюбиво смотрела все криминальные выпуски про бандитов и аресты, находя в этом временное успокоение, то есть каждый раз именно в данный вечер, прямо у нее на глазах, справедливость торжествовала. Но оптимизма ей это не прибавляло.

— Да это как бы елка,— пояснила уставшая Оксана.— Импортная.

— У нас такая же посажена в ногах, в Полтаве. Где папа с мамой и мои Витюшка с Толечкой.

Ничего себе порадовала Клавочка бедную Оксану.

Тем временем озабоченная мама Нина на столе в большой комнате опять колдовала с выкройками из «Бурды», затем села стрекотать на машинке.

— Я ничего этого не надену,— предупреждающе рявкнула Оксана в маленькую комнату.

— Ладно! Договорились! — беззаботно откликнулась мама Нина.— Пойдешь встречать Новый год, то посмотришь.

— Я никуда не пойду! — прорычала Оксана.— Куда я пойду? Кому я нужна?

Мама Нина явно шила что-то из того воображаемого оранжевого якобы шелка, который она надыбала в благотворительном секонд-хенде.

Так и оказалось. В день Нового года жалко улыбающаяся Нина Сергеевна вышла из спальни с ворохом красно-желтой материи в руках.

Клавочка трудилась на кухне, она поставила в духовку пирог с капустой. Пирог с дачными яблоками, пока еще в виде заготовки, ждал своей очереди.

— Наш подарок,— объявила мама Нина робко.— Платье вам.

— Не надену, и не воображай себе,— жестко сказала Оксана.

— Ну подумай, как Клава обрадуется. Она же вчера с утра это шила. Пока мы были на работе. И все швы заоверлочила сама, да как аккуратно! А то лохмы висели. Она мастер была по индпошиву, Клавдия. Закройщица. Верхнее платье делала на бортовке, с грудью. Помнишь изумрудный пиджачок Мишеньки? Плечики на вате были! Так сейчас не умеют.

— Слушшай! Пиджачок! — зашипела Оксана.— Мало мне всего этого, да? У меня сессия через две недели! Я ничего не успеваю! А Ольга меня не отпускает! У нее как бы планы в феврале! Тогда уйдешь от нас, говорит, если на сессию уйдешь. У меня, кричала, не благотворительный фонд! Я сама на себя зарабатываю и на мужа с дочерью! Орала. Скажи теперь, мама! Мне сейчас до твоих нарядов из секонд-хенда? А?

Тут вошла Клавочка, увидела шелк в руках мамы Нины и строго сказала:

— Да ей не понравится, гляди. У меня руки стали как крюки. Глаз уже не тот. Криво пошила. Да я как бы закройщица, отшиваю-то средне. Оксаночка, прости меня бога ради.

С сухими глазами, прямая как деревяшка, она проследовала в спальню и там зашелестела молитвенником.

Московское «как бы», пойманное у Оксаны, с недавних пор стало для Клавочки выражением сильных чувств.

Нина Сергеевна положила комочек шелка на диван, а затем, тряхнувши головой, пошла на кухню. Спустя минуту там гремели противни, звякала посуда, потом в ход со стуком пошел ножик. Запахло свежим огурчиком. Предстоял традиционный салат оливье.

Оксана махнула рукой и залезла в ванну. До Нового года оставалось где-то полтора часа. Надо было помыть голову и чтобы голова высохла. Фена в доме давно не было, сгорел.

Когда она села к своему старому компьютеру с мокрыми волосами, мать склонилась над ней:

— Клавочка очень переживает, что ты не хочешь даже померить. Не выходит из комнаты. Ну порадуй старуху, ей восемьдесят годков.

— Мамм! — возопила Оксана.

Но смирилась. Дверь в спальню была закрыта, оттуда доносился явственный шепот.

Оксана пошла в ванную, где имелось зеркало над раковиной, и влезла в тесный наряд. Это оказалось платье из золотистого линялого шелка, очень открытое, на двух бретельках. Пришлось снять лифчик и напялить этот бальный прикид даже без майки. К нему зато прилагалась нижняя юбка и вдобавок невесомый, как пух, широкий шарф с оранжевым кружевом на концах. Ага, мать применила свою любимую технику «ришелье». И зачем только такие труды? Ради чего мать сидела вырезала тонкими ножничками этот узор? Кто его увидит?

Вся ее беспросветная, неинтересная будущая жизнь вдруг предстала перед ней. Компьютер, факс, принтер, комнатка, заваленная бумагами, бухгалтер Дина, белокурая немолодая красотка из Кривого Рога, чья дочь-студентка не желает с ней разговаривать даже по телефону. И хозяйка Ольга, истощенная баба с черными кругами вокруг глаз, работяга, с утра до вечера мотающаяся по заказчикам. Ее старый «мерседес» вечно в ремонте.

Заказчицы, жены новых русских, с их планами насчет гномов на стриженом газоне перед загородным домом. Нелюбовь этих жен к простым деревьям. К прекрасным плакучим ивам, к лиственницам. Стремление купить туи повыше (чем у соседок).

Оксана вдруг полезла в ящичек и достала тушь для ресниц. Накрасилась от души. Помяла, растрепала еще влажные волосы, изобразивши даже подобие кудрей. После ванны на бледных впалых щеках оставался легкий румянец. Подчеркнула его, слегка растушевав мамину помаду на скулах.

Зачем она это делает, ей было непонятно. Зачем-то. Новый год. Новое платье. Черные волосы волнами чуть ли не до пояса. Сияющие огромные глаза. Большой рот. Накрасила и его безжалостно, густо, как в детстве.

Ну, пусть будет так.

Она вышла в прихожую.

Внизу орало пьяное семейство. Женщины вопили обычное «Убивают!». Мужики толклись. Топот, удары, грохот железной двери.

Вошла в комнату.

Мать подняла глаза. Они у нее стали квадратными.

— Клавочка! — сунулась она в спальню.— Принцесса надела твое платье! Иди посмотри!

Клавочка вышла, воспаленными черными очами взглянула на Оксану и слегка свела губы в кружок. Это у старушки была улыбка радости, не иначе. Мимика после всего пережитого сохранилась у нее небогатая.

— Как Пенелопа как бы Крус,— вдруг сказала Клавочка.— Вылитая.

Радостная мама Нина воскликнула:

— Да! Вот у нас на даче, еще Оксаночка маленькая была, пошли мы за грибами. Заходим к соседке, Вера Игнатьевна ее звали. Она сразу так к зеркалу и мажет рот помадой. А лет ей было семьдесят вроде восемь. И она с корзинкой выступает в поход. Моя мама ей говорит: «Теть Вер, мы же в лес прёмся, че ты накрасилась?» А она ответила, вот никогда не забуду: «А может, это там и произойдет?»

Мама Нина всегда старалась чем-то повеселить свою публику, но часть публики в данный момент ее не поняла и реагировала так:

— Ни к селу, мама, ни к городу.

Клава, правда, сделала опять рот сердечком.

В это время в дверь затрезвонили.

— О господи! — возопила мама Нина и нехотя пошла в прихожую.

Она открыла дверь на цепочку, опасаясь нижних. В щели виднелся какой-то молодой мужик в пальто.

— Там убивают кого-то, здравствуйте! — сказал мужик.— Надо милицию срочно. С наступающим вас!

— Что касается милиции, то не беспокойтесь,— отвечала мама Нина специальным насмешливым голосом,— милиция к ним как бы уже не ездит. Когда убьют, говорят, тогда вызывайте.

— Так, погодите,— не понял мужик.

Но она уже захлопнула дверь и помчалась в кухню, потому что несло чем-то подгорелым, курица подпеклась, что ли?

В дверь снова зазвонили.

— Ой, не обращайте внимания,— крикнула мама Нина.— Соседи передрались опять. Телефон им нужен!

Звонок дребезжал.

Оксана, сидящая за компьютером, нехотя встала, прихватила телефон и поплелась открывать.

Она машинально скинула цепочку и распахнула дверь. Пусть позвонят. Люди же.

— Простите,— гулким басом сказал немолодой мужчина лет тридцати двух. Он держал в руке сумку, у ног его стоял хороший чемодан.— Можно вас?

— Да? — отвечала Оксана, нетерпеливо кивая.

Вдруг из комнаты истошно завопила Клавочка.

— Аааай! Аааой! Ооооой! Оооой! Миша! Миша!

Что-то с грохотом упало, видимо, стул.

Мама Нина метнулась из кухни туда.

Оксана стояла, не зная что делать. Клава явно сошла с ума. Захлопнуть тут же дверь перед незнакомым человеком было неловко, неудобно. Он смотрел остановившимся взором на Оксану. Он был какого-то иностранного вида. Он был не похож на посланца из дикой квартиры.

Оттуда, кстати, заорали:

— Мужик! Эээ... М-жжик, убивают!

И женщина с лестницы охотно завизжала:

— «Скорую», «скорую»! Вызовите, у нас телефон отключили!

Мужчина за дверью заморгал, но от объекта глаз не отвел. А снизу кто-то уже нетвердо поднимался с явной целью объясниться. «Друг, друг, не в этом дело, щас, щас»,— бормотал идущий.

— Я к вам, можно? — по-быстрому уточнил мужчина.

— Заходите же,— со вздохом сказала Оксана и отступила.

Мужчина внес свой багаж в квартиру и ловко успел захлопнуть дверь, прежде чем чья-то грязноватая рука и чья-то нога в тапочке, совместно протянутые в дверной проем, успели внедриться.

Невидимая Клавочка, однако, не молчала. Она крикнула из комнаты:

— Миша, ты?

Мужчина, не сводя с Оксаны изумленного взгляда, молча кивнул.

— Ми-ша? — завопила Клавочка снова, с тем же напором и нечеловеческой силой.

— Бабушка, не кричи,— ответил, адресуясь в комнату, Миша.— Я сейчас разденусь.— И он обратился к Оксане: — Здравствуйте еще раз. Как вас величают?

Оксана, несгибаемая Оксана, вдруг приоткрыла свой волшебный рот, сощурила прекрасные глаза и ответила:

— Ксения.

И слегка покачала в воздухе телефоном. Как-то так, кокетливо.

— Какое красивое имя,— сказал Миша.— Вот. И больше мне ничего в жизни не надо. Ксения.

Тут наконец-то вывели на сцену Клавочку, и начались слезы, охи, поцелуи, благодарности и мужественные слова, что Клавочке будет квартира, и тут у меня мелкие подарки всем на первое время...

А мама Нина смотрела на свою дочь и гадала, откуда такая лень в ее движениях, такое спокойствие, такие искры в смеющихся черных глазах. Кудри по плечам. Откуда это золотое платье до полу.

Ах да. Сама же и шила.

Какова же дальнейшая судьба героев нашего романа? Надо отметить, что после отъезда Иванова все осталось на своих местах, как было, ведь не может же из-за отъезда одного человека переместиться с места на место жизнь, как не может обрушиться из-за отъезда одного человека крыша над головой у многих, у целого учреждения. Так что то, что у Лены, фигурально выражаясь, обрушилась крыша над головой и жизнь переместилась с одного места на другое, в то же самое время ничего не значило для всех остальных, для того мира, который каким был при Иванове, таким и остался, не принимая в расчет, что Иванов исчез, что вместо него зияет пустое место.

Таким образом, Лена вынуждена была ходить на работу в то место, в котором зияла пустота вместо Иванова и в котором всего еще неделю назад сама Лена стояла на коленях перед столом Иванова, как бы шутя. Она встала на колени и молитвенно стояла, сложив руки и закрыв глаза, примерно в двух метрах от сидевшего за столом Иванова, который, в свою очередь, спокойно приводил в порядок бумаги, добродушно посмеиваясь, словно не видя, в какое состояние впала Лена. Видимо, она до самого последнего момента, до того, как Иванов начал приводить в порядок свой стол, все еще надеялась, что что-то произойдет, какое-то помилование, что ведь не может даром пройти, окончиться все это дело, и когда Иванов начал приводить перед уходом в порядок свое рабочее место, она, как бы горя безумием, встала на колени. Она стояла на коленях десять минут по часам, и в эти десять минут все вели себя хоть и стесненно, но как обычно, нисколько не растерявшись, не изменив выражение лиц и принимая все как должное, как будто им на жизненном пути часто встречалась подобная ситуация; все восприняли это всё как некую истерику, которую не следует замечать, которую не следует гасить, чтобы не показать, что веришь в истинное существование того горя и отчаяния, которое обыкновенно изображают, впадая в истерику.

И сама Лена также спокойно стояла, не подымая излишнего шума относительно своих чувств; и потом люди, присутствовавшие при этом в комнате, два или три человека, должны были сознаться, что единственное, что остается человеку в такой ситуации,— это его право стать на колени, и что это сладостно — стать на колени.

Наконец Иванов уехал, а Лена осталась, и не было никакого сомнения в том, что Лена тем или иным путем последует за Ивановым, несмотря на то что в родимом городе у нее были обязательства перед матерью, сыном и мужем.

Лена никому не говорила о своих планах на будущее и работала как обычно, однако сдружилась с библиотекаршей, что было признаком будущего бегства. Дело в том, что эта библиотекарь Тоня, очень милая и печальная блондинка, на самом деле представляла из себя вечную странницу, авантюристку и беглого каторжника. У нее тоже, как и у Лены, был некий дом, в котором она жила с ребенком, с девочкой, однако Тоня время от времени уклонялась от своих материнских обязанностей и, как-то уговорившись на работе и подкинув ребенка родителям, ехала в тот город, где жил избранный ею человек, ее предмет, причем ехала нежеланной, неожидаемой, спала на вокзале, пряталась по каким-то лестницам, ожидая, пока ее любимый человек выйдет, и так далее.

Лена сдружилась с Тоней и вместе с ней проводила обеденный перерыв в разных кафе и пирожковых, и после работы они шли до остановки, чтобы разъехаться затем на разных трамваях — Тоне в детский сад за дочерью, а Лене — в свою квартиру, где ее ждали обязательства перед матерью, сыном и мужем.

Однако, как потом выяснилось, все это были не обязательно требующие выполнения обязательства, потому что в конце концов Лена все же уехала в тот город, где теперь работал Иванов, и вернулась обратно только через много лет, а именно через семь лет, вернулась с помутненным сознанием, с манией преследования, вернулась потому, что ее привез обратно ее муж Альберт.

Здесь следует пояснить все-таки, какие обязательства были у Лены перед матерью, сыном и мужем.

Все началось с рождения сына, которого Лена родила в невероятных муках, но не крикнув ни разу. Ребенок тоже, очевидно, вынес большие страдания, потому что родился с кровоизлиянием в мозг, и спустя три месяца врач сказал Лене, что ни говорить, ни тем более ходить ее сынок не сможет, видимо, никогда.

Лена год провела с ребенком, а затем ей настало время идти на работу, и она вышла на работу, найдя ребенку сиделку. Мать ей была в этом деле не помощница, потому что сошла с ума через три месяца после рождения ребенка, очевидно от отчаяния при виде неподвижного малютки, а впрочем, как сказала врач-психиатр больницы, причины безумия следует искать не вне, а внутри, и таким же толчком к болезни могли бы быть какие угодно другие обстоятельства, самые незначительные; однако, без сомнения, толчок был.

В ту весну, когда Иванов уехал, Лена была занята сугубо материальными делами: снимала дачу, на которой должен был жить ее уже выросший семилетний мальчик с сиделкой, а также она с Альбертом. Затем наступил переезд на дачу и два месяца жизни на даче, после чего, в июле, Лена снялась с места и покинула и дачу, и городскую квартиру, и свою приятельницу, беглую каторжанку Тоню: Лена уехала под видом поступления в институт, уехала якобы ненадолго, а на самом деле на семь лет.

Она действительно поступила в новый институт, во второй институт в своей жизни, из общежития которого три года спустя и была увезена в карете «скорой помощи» в психиатрическую больницу в самом мрачном расположении духа, но какой толчок сыграл здесь свою роль, никто нам теперь больше не укажет.

Теперь проследим путь Иванова. Как ни странно, несмотря на блистательное начало, он также, хотя и не столь скоро, как Лена, оказался во мраке и запустении.

Однако в его случае все было не так сложно, все было проще и грубей, чем в случае Лены, и объяснялось исключительно пристрастием к спиртным напиткам; Иванов сам себе в течение долгих лет рыл яму и в конце концов в результате огромного скандала оказался на крошечной должности, крошечной по сравнению с предыдущими масштабами, должности заведующего отделом в два человека — должности, с которой обычно начинают.

Вот так кончился на самом деле этот роман, который, как всем казалось, кончился отъездом Иванова,— но неизвестно и теперь, кончился ли он на самом деле.

Теперь во весь свой гигантский рост встает фигура мужа Лены, Альберта, который все эти годы выносил все то, чего не могла вынести Лена, и даже больше; и ведь именно он спустя семь лет после исчезновения Лены отправился за ней, обо всем зная, и привез ее домой, то ли неизвестно зачем в ней нуждаясь, то ли из сострадания к ней, сидящей на своей больничной койке в отдаленном районе чужого города, лишенной абсолютно всего, кроме этой койки, погребенной в своей яме, подобно тому, как Иванов был погребен в своей.

Собственно говоря, это была у Лены и Иванова та самая бессмертная любовь, которая, будучи неутоленной, на самом деле является просто неутоленным, несбывшимся желанием продолжения рода, несбывшимся в разных случаях по разным причинам, а в нашем случае по той простой причине, что Лена уже родила однажды неподвижного ребенка и поэтому вставал вопрос, может ли она вообще рожать здоровых детей. Но как бы то ни было, какова бы ни была истинная причина того, что Иванов бросил Лену, факт остается фактом: инстинкт продолжения рода был не утолен, и в этом, возможно, все дело.

Но Альберт, вот кто должен возбудить всеобщее удивление в этой истории, теперь до конца прояснившейся, Альберт, приехавший спустя семь лет за женой, с которой давно потерял всякую связь. Какие чувства им руководили, вот что интересно. Тут все можно объяснить все той же бессмертной любовью, однако так просто это все не объяснить, и фигура Альберта остается стоять во весь свой гигантский рост посреди этой простой житейской истории.

История Клариссы

История Клариссы в своей начальной стадии как две капли воды похожа на историю гадкого утенка или Золушки. В самом деле, до семнадцати лет Кларисса, школьница в очках, не вызывала ни в ком не то что восхищения, но и малейшего интереса — и это касалось как мальчиков в классе, так и девочек, особенно чувствительных к красоте, выискивающих ее повсюду, где им приходилось бывать, и подталкивающих друг друга локтями в таких случаях. Кларисса не отличалась чувствительностью к красоте, она была достаточно примитивным созданием, не обращавшим внимания, как казалось, ни на кого и меньше всего на самое себя. Чем были заняты ее мысли по целым дням, неизвестно. На уроках она была невнимательной, и ее взор постоянно обращался на пустяки. Она с раскрытым ртом следила, как вытирают мел с доски, это ее повергало в задумчивость, и бог весть о чем она вспоминала, глядя в такой момент на доску.

Однажды у нее случилась, уже во взрослом состоянии, в последнем классе, драка с мальчиком, однако эта драка была лишена каких бы то ни было иных мотивов, кроме того мотива, что Кларисса по закону чести дала пощечину однокласснику за слово, показавшееся ей оскорбительным, а на самом деле сказанное просто никуда, в воздух, случайно. Одноклассник тут же дал сдачи, вместо того чтобы долго объяснять, что Кларисса тут ни при чем, что она не имеет никакого отношения ни к оскорблению, ни вообще к чему бы то ни было и напрасно суетится.

Это событие говорит о том, что как раз в этот период в душе у Клариссы происходил некий перелом в сторону повышенной чувствительности к своему положению в мире, к положению девушки, которой придется в дальнейшем самой за себя стоять и одиноко идти среди враждебного мира, принимая на свой счет все его проявления.

Однако, как мы увидим, это направление затем исчерпало себя, хотя могло и развиться при других обстоятельствах. Но обстоятельства повернули так, что буквально через полгода после окончания школы Кларисса жила уже иной жизнью и на зимних студенческих каникулах, поехав на экскурсию в другой город, во мгновение ока вышла замуж и вернулась уже в ином качестве, в качестве жены иногороднего мужа, что налагало на нее определенные обязательства.

Что произошло в душе Клариссы за эти полгода, неизвестно, налицо были только внешние проявления внутренних перемен: Кларисса свою прежнюю, едва проклевывавшуюся ориентацию на враждебность внешнего мира сменила иной ориентацией, ориентацией девушки глупой, мягкотелой, как будто не понимающей, куда ее ведут внешние обстоятельства, и без тени мысли следующей этим обстоятельствам. Вместе с тем Кларисса, оставаясь все той

же девушкой в очках, превратилась в полную краса-
вицу с золотистыми кудрями и тонко вылепленны-
ми пальцами рук.

Как и следовало ожидать, Кларисса, со своей мяг-
котелостью и неумением рассчитывать хотя бы на
два пальца вперед, не удержалась в роли жены мужа, находящегося в другом городе, и, когда ее спра-
шивали о муже, она отвечала, что не имеет пред-
ставления ни о чем и ей все это надоело.

Следующий брак не заставил себя долго ждать, и
Кларисса вышла за врача «скорой помощи», круп-
ного мужчину, пропахшего табаком, с налитой
грудью и толстыми руками. Этот брак стал настоя-
щей житейской трагедией Клариссы, потому что
муж ее сразу после рождения их общего ребенка
стал гулять, много пил и иногда дрался.

В новый период жизни, который наступил в результате новых взаимоотношений Клариссы с мужем, произошли и заметные изменения в ее облике.
Она, можно сказать, беспрерывно продолжала свой
спор с мужем, продолжала доказывать свою право-
ту и свою точку зрения даже тогда, когда находилась
далеко от него, к примеру на службе, в гостях у подруг, в самых неподходящих обстоятельствах. Она
вела свой монолог на одной и той же ноте протеста,
с горящими щеками, с позывами к плачу. Она оказалась не в силах достойно вынести свалившееся на
нее презрение и равнодушие мужа, и даже прежняя
ее, школьная ориентация защищаться пощечиной
от оскорбления не вернулась к ней. Можно сказать,
что она в эти годы жила без руля и без ветрил, от
толчка до толчка, чувствительная, как амеба, кото-

рая перемещается с места на место с примитивной целью уйти от прикосновений. Кларисса в тот период своей жизни никак не могла успеть определить свою роль, свыкнуться с этой ролью и принять наиболее достойное решение. Она еле успевала принимать удары судьбы, которую олицетворял собой ее невоздержанный, не стесняющий себя ни в чем муж, ведущий свою грубую, тяжеловесную жизнь в одной комнате с Клариссой и ребенком.

Наконец это завершилось самым большим ударом — муж ушел от Клариссы и одновременно забрал с собой, к своим родителям, мальчика. Кларисса сделала единственное, на что ее толкало помутившееся сознание, — она стала биться о дверь родительской квартиры мужа, и биться напрасно, так как старики уехали, сняли дачу в неизвестной местности, о чем Клариссе сказал их сосед, выглянувший на лестничную площадку.

Клариссе оставалось вернуться в свое разоренное гнездо несолоно хлебавши. Все дальнейшие действия, которые она предприняла, были нелогичными и бесперспективными. К примеру, она раза три ездила на электричках за город и там бродила вдоль дачных участков, надеясь увидеть желтую соломенную кепочку сына. Кларисса звонила также друзьям своего мужа, мужчинам, занятым своей работой, серьезным людям, с просьбой помочь ей выкрасть обратно ребенка. Все это не принесло никаких результатов, и единственным результатом был только тот факт, что к ней домой вечером приехал врач с сестрой, которого она совершенно не вызывала, и врач участливо расспрашивал ее о том, как она спит, и нет ли у нее врагов и преследователей, и не хочет ли она лечь в санаторное отделение больницы, где ей дадут возможность спать хоть неделю подряд. Кларисса сказала, что кто же ей даст бюллетень, но врач и сестра в один голос заверили ее, что об этом ей, во всяком случае, думать не надо. «Это все он вас прислал, — ответила Кларисса, — я давно поняла». Врач и сестра стали собираться и уходить и в дверях еще раз напомнили Клариссе о возможности отдохнуть, но Кларисса их уже не слушала. Она с горящими щеками сидела задумавшись у стола.

На этом занавес опускается, потому что Кларисса втихомолку вновь начала перестройку, и опять-таки никто не скажет, каким образом она спустя полгода снова выплыла на поверхность жизни уже в качестве разведенной жены, оставшейся с ребенком на руках, алиментами раз в месяц и вечной проблемой, куда девать ребенка. В этом новом качестве Кларисса была совершенно банальна и по-своему умна каким-то коротким умом. Она не заглядывала особенно далеко, поскольку существовала еще одна сложность, а именно то, что мальчик страшно привязался к отцу и его родителям, которые давали ему уход, ласку и воспитание, какого не могла дать Кларисса, оставшись в единственном числе. Поэтому Кларисса не заглядывала далеко, не планировала надолго свою совместную жизнь с сыном, понимая всю скоротечность своих прав, а все внимание сосредоточила на сиюминутных проблемах, встающих перед ней одна за другой.

Кларисса кропотливо рассчитывала время на дорогу от детского сада до работы, бегала в обеденный перерыв по магазинам и относилась к своим служебным обязанностям как к чему-то второстепенному в жизни, что было, несомненно, вполне понятно в ее положении.

Поэтому огромным событием для Клариссы стал спустя год отпуск, который она впервые провела на юге в полном одиночестве, оставив ребенка в детском саду за городом. Очутившись на юге, Кларисса первое время сохраняла еще свою недалекую озабоченность женщины-матери, относилась к морю, загару и фруктам совестливо, вспоминая своего ребенка, оставленного на севере, где лил дождь. Можно сказать, что в этот период отпуска ей кусок не лез в горло и она простаивала по полдня в длинных очередях на междугородные переговоры, чтобы дозвониться в детский сад и узнать, как там мальчик и там ли еще мальчик. Она страстно мечтала водить его с собой к морю, как это делали все мамаши вокруг нее, но дело уже было сделано, и так прошла половина отпуска.

Тут море, загар и южные фрукты, которые Кларисса покупала из-за их дешевизны, оказали свое влияние, и произошла вторичная метаморфоза во внешности Клариссы. Теперь она была зрелой женщиной двадцати пяти лет, глядящей сквозь очки с кроткой отчужденностью, и в этом качестве ее сильно полюбил летчик гражданской авиации, проводивший день между рейсами на городском пляже. Летчик стеснялся подойти поближе к Клариссе, поскольку он был на пляже не в подобающих купальных плавках, а в обычных сатиновых трусах. Он только смотрел на Клариссу издали, как она по-куриному копошилась в сумке, чтобы наконец достать оттуда трогательно маленький носовой платок и начать протирать им стекла очков.

Через день летчик снова был на пляже, ближе к вечеру. Он уже приготовился к пребыванию у моря, был соответственно одет и смог расположиться поближе к своей Клариссе. Кларисса неприятно испугалась, стала мучиться, искать предлог уйти и наконец с бьющимся сердцем, с отвращением раньше времени сбежала, провожаемая изумленным взглядом летчика.

Все, однако, шло к лучшему, через день в беседе с летчиком Кларисса уже могла выдавить из себя несколько фраз, хотя следующее утро она провела на междугородной и получила известие, что мальчик здоров и бегает и что погода хорошая.

Все это кончилось тем, что через три месяца после отпуска Кларисса переехала к своему новому мужу, Валерию Петровичу, в его трехкомнатную квартиру, и началась новая полоса в жизни нашей героини. Мальчик в свое время пошел в школу, родилась еще девочка, и можно считать, что все стабилизировалось и поплыло к естественной, здоровой зрелости, к череде зим и отпусков, к покупкам, к ощущению полноты жизни, если не учитывать того факта, что в дни полетов Кларисса, оставшись одна, способна часами звонить на аэродром и выбивать сведения о рейсе, и Валерий Петрович по возвращении выслушивает замечания о звонках своей жены. Только это туманит светлые горизонты жизни Валерия Петровича и Клариссы, только это.

СЕРЕЖА

Я не могу понять одного: почему он бросил Надю, ведь он знал, что ее это доконает, и она действительно умерла через год после его смерти. Но все-таки он бросил Надю каким-то чудовищным способом, каким-то пошлым способом, который ему, очевидно, доставил наибольшее чувство разбомбления жизни. Между прочим, я знаю нескольких таких мальчиков, которые именно так предпочитают уходить от уже впавших в зависимость женщин: эти мальчики добиваются полного проникновения в душу своих женщин, они буквально допрашивают их обо всем, об их прошлом, об их мыслях, они входят в сознание этих женщин, вытесняя оттуда все, что так или иначе не связано с теперешней дружбой. Эти мальчики самым настоящим образом страдают от того, что женщины все-таки им не доверяют: ведь женщины эти уже тоже кое-что узнали в жизни и не верят в полное совпадение душ. Но потом получается всегда так, что женщины, под влиянием расслабляющего ежеминутного присутствия в их душе этих мальчиков, начинают верить в родство душ и в то, что их жизнь нашла какой-то мирный придел, тихую пристань покоя и обволакивающей любви. И эти женщины открывают свои закрома, свои сокровищницы и под пристальным наблюдением мальчиков выкладывают одно за другим, вплоть до снов и впечатлений детства, вплоть до своих примитивных страхов и надежд. И все это само собой линяет и обесценивается, будучи объяснено, растолковано и упорядочено одно за другим, и все это уходит, уже не имея применения, из дальнейших воспоминаний вслух, но женщина странным образом ликует, восполняя себя другим — теперь его воспоминаниями детства, его страшной, мистической трагедией брошенного в Лондоне мальчика, в то время как отчим, дипломат, и мать, хозяйка дома, уезжали в многочисленные поездки. И теперь женщина будет хранить, вынуждена хранить в себе и его первые впечатления от проститутки, и от виски с содовой, и ненависть к отчиму, когда он приезжал и требовал финансового отчета до последнего пенса, и мучил, добиваясь всех расходов, и вынуждал врать и сам потом ловил его на этом вымученном вранье.

А потом наступает финал этого родства душ, финал очень простой, грубый, с непонятным оттенком злорадства и саморазрушения: например, Надя в один прекрасный день просто услышала от него то, что он женится.

После его смерти я спрашивала всех, в том числе и Надю, которая все возилась со своими почками и вскоре должна была от них умереть,— и Надя мне ничего особенного не рассказала, кроме того, что она была просто потрясена этой фразой и его поведением и, что самое главное, ей было абсолютно непонятно все. И он мелочно, как-то очень по-мальчиковски, хлопнул дверью, он как бы отказался от своей всегдашней корректности, и этого, как мне рассказывала Надя, она не могла вынести. Кроме того, у него в руках была огромная, прекрасная коробка шоколадных конфет, которую он так и не выпустил из рук и ушел с ней, хлопнув дверью, как бы желая подчеркнуть, что именно коробка конфет мешает ему как следует прикрыть дверь.

На Ирине он женился через месяц. Ира была моей подругой, и я была свидетелем на их свадьбе. Я помню, как она до последнего мгновения не верила, я держала ее под руку, когда она подходила к столу поставить свою подпись, и я крепко сжимала ее локоть, потому что она дрожала крупной дрожью. Она боялась его почти весь первый год их совместной жизни. Она не скрывала этого от меня. Она говорила, что никакие попытки наладить с ним контакт не приводят ни к чему, что он почти всегда сидит, вперив взор в одну точку, не отвечая ни на какие призывы, даже на призывы пойти выпить чаю. Она вообще весь первый год все еще была удивлена, что он на ней женился, однако фраза «Она не могла поверить своему счастью» здесь тоже не подходит. Она не любила его, она просто не успела его полюбить за те несколько коротких встреч, которые у них были за все время их знакомства. Раза три-четыре они виделись, она запомнила, что он однажды принес огромную коробку конфет, а затем сделал предложение. Она сразу же согласилась, потому что он ей, во-первых, очень нравился, он был необычен, а потом редко какая женщина не ответит согласием на предложение, исходящее от человека такой силы духа. А может быть, просто ей было уже пора выходить замуж.

Так они прожили вместе год, и к концу этого года Ирина обрела равновесие и все установилось к лучшему в их семье. Никаких попыток проникнуть в ее внутренний мир он не предпринимал, и она тоже, она ведь очень умная женщина. Никакой душевной близости там, понимания с полуслова у них не было. Вместе с тем они прекрасно проводили вместе время, окруженные друзьями. У Ирины оказалось одно великолепное качество, которое было в ней всегда, но теперь расцвело просто пышным цветом: это качество было — вера в себя. Она ни в чем никогда не подвергала сомнению свою ценность, она несла себя как на ладони, соблюдая изящество и соразмерность во всем — в еде, в разговоре. Все она чувствовала в себе знаменательным, но это не утомляло ничьего слуха или зрения, потому что ей бы даже в голову никогда не пришло кому-то доказывать свою значительность или в ком-то искать этому подтверждения. Она никогда не снисходила до того, чтобы краситься, а надо сказать, что по природе своей она была необыкновенно некрасива. Но некрасива хорошо, не нелепо, породисто. Короче говоря, волей случая Сережа нашел себе подругу жизни совершенно идеальную, а может быть, и не волей случая.

Мы все вились вокруг этой пары, в их открытом доме, мы разговаривали около них двоих обо всем на свете. Сережа знал несколько языков еще с детства, он был очень начитан и эрудирован и обязательно несколько вечеров в неделю проводил в библиотеке. Он изучал народников, просто так, не для своей работы — он работал всего-навсего переводчиком. Он изучал народников и иногда рассказывал нам о них, но я мало что запомнила из его рассказов, потому что это не были исторические анекдоты и курьезы, а просто какие-то серьезные события, внешне очень пресные и имеющие строго хронологический характер.

Но чувствовалось, что он изучает народников просто так, не для того, чтобы затем, в дальнейшем, использовать это в каких-то целях. Во всяком случае, не затем, чтобы обогатить свой внутренний мир, и уж конечно не затем, чтобы писать работу о народниках. Просто это была какая-то привычка, вроде собирания брелоков или кусков мыла.

Мы восхищались Сережей именно за то, что для него, очевидно, не существовало никаких благ, которых бы он хотел добиться. Он не был честолюбив и тщеславен, он был болезненно не тщеславен. Он был в таких размерах не тщеславен, что мы чувствовали в нем великую душу полководца, пребывающего в опале и брезгающего мелкими проявлениями почета и мелкими воспоминаниями и мечтами.

Ему ничего не нужно было, кроме того разве, что он иногда уезжал на дачу и проводил там время с живущими там стариками — родителями Ирины, но отдельно, конечно, от них. Ирина же терпеть не могла этой дачи и никогда вместе с Сережей туда не ездила.

Теперь я еще могу сказать, что он имел на нас, конечно, невероятное влияние. Я не могу сказать больше о себе, потому что я тогда не способна была себя анализировать, я была тогда, в те годы, просто бесформенной подушкой. Конечно, у меня тоже были свои сны и свои воспоминания детства, на которые никто никогда не покушался. Я не придавала им значения. Уже тогда, не ожидая никого, кто мог бы потом пренебречь этими моими ценностями, я отвергла их и больше к ним никогда не возвращалась. Вместо этого я была полна Сережей.

Мы все были люди, что называется, не творческие. Среди нас не было ни единого художника, или поэта, или актера. Мало того, среди нас не было и людей, блещущих какими-то домашними талантами. Мы никогда не приводили в дом к Сереже никого, кто так или иначе мог украсить наше общество хотя бы только присутствием в нем. Мы как-то инстинктивно чувствовали, что человек так называемый «творческий» — это всегда зависимый человек, не могущий жить без внимания. Мы никогда не обсуждали вопрос, может ли существовать искусство без зрительства, без второй стороны, без осматривания, выслушивания и суждения толпы. И никто из нас никогда не сожалел, что огромные силы Сережиной души оставались втуне, не примененными ни в какой сфере творчества. Я даже позволю себе сказать, что огромность Сережиной души поблекла бы и растаяла, если бы он вздумал заняться, скажем, писанием романа. Сережа не мог предстать перед кем-то обнаженным, беззащитным, судимым. Само показывание себя было бы для него нестерпимо.

Я даже могу сказать, что Сережа не жил с Ириной в том, общепринятом смысле этого слова. И в какой-то степени, я не могу точно сказать в какой, это тоже относилось к его взглядам на творчество, как это ни смешно звучит. В браке есть тоже нечто общепринято-бесстыдное, освященное будущим появлением детей.

Однажды мне позвонил на работу сосед Сережи, молодой человек, живший в той же квартире с женой и маленькой дочерью. Он сказал, задыхаясь от плача:

— У нас большое несчастье, вы слушаете?

Я сразу заплакала, потому что поняла, что у них умерла дочка, я всегда с ужасом думала об этом, я ее безумно любила, как-то животно; это был единственный ребенок в нашем кругу, и Сережа любил ее больше жизни и иногда ходил смотреть, как она спит, и просиживал около ее кроватки, когда она болела, целые дни и был готов сидеть и ночью.

— Вы слушаете? — сказал сосед.— Сережа наш повесился. Мы сейчас вернулись из морга, его принесли из лесу пастухи, там, на даче.

И тут я при всех, ясным солнечным утром, на работе, начала кататься по полу меж столов, в полном сознании того, что я не успела, не успела, не успела...

Это уже потом я стала ездить по его бывшим знакомым, нашла Надю и долго говорила с ней, а потом ездила к ней в больницу и хоронила ее через год. Я узнала о Сереже все, что можно только было узнать и чего никогда не знала и не узнала Ирина. И все равно мне этого мало, слишком мало. У меня все остается то чувство, которое я испытала на полу у себя на службе,— не успела, не успела, не успела...

Первое, что приходит на ум, когда слышишь, что о нем говорит одна красавица: «Я бы им увлеклась, если бы он не был женат и с четырьмя детьми»,— так вот, первое, что приходит на ум, это то, что и он, о ком идет речь,— тоже красавец. Так и видят: он красавец, она красавица, но между ними его семья, его дети, его долг. Такой замечательный пример на тему «любовь и долг», и в голове у человека, который ничего не знает, только факты, возникает как бы фильм: красавец читает лекции по всей стране, а она, красавица, слышала и видела его, мужчину-звезду, многодетного, но чистого и честного, с женой вкупе, и возникает образ жены, обычно не слишком симпатичной, то есть всегда усталая и вечно изможденная матрона, но о ней позже. Вторая сторона, которая говорит, что не смеет увлечься им,— она тоже красавица, она работает как раз в лектории по распространению таких или иных знаний. Он приходит туда, захаживает, ну как, девочки, вот я привез отчет, отработал пять деньков в Сибири при температуре минус сорок девять по Цельсию, сапоги к почве примерзали, в области вырубилось отопление, как они говорят, «разморозилось», то есть наоборот, но на лекции народ валил. «Как всегда», допустим, говорят девочки, милое оживление, чай, шоколад (они угощают его, а он принес дорогой торт и очень доволен), милый, приветливый, религиозный кандидат наук, красавец с бородой, ничего не скажешь.

Так, теперь она, вторая сторона двойного портрета: лицо скульптуры, из тех римских богинь, которые иногда рождаются на Украине,— брови вразлет, нос короткий и тупой, рот полный и классически вылепленный, подбородок крутой и круглый, просто какая-нибудь Минерва. Все красиво и гармонично, все дышит классической печалью, только зачем все это, когда нет жилья, снимает комнату и дешево идет в любые руки, просто от тоски. Мама на Украине где-то в городке врач, а тут, в Москве, у Минервы фиктивный брак и комната, где она живет ради дешевизны с аскетически суровой подругой мужского склада. Каждый вечер лихорадочные приготовления, каждый вечер надежды на несбыточное, вроде найти принца, бросить курить и т. д., и каждое утро стремление завтра начать новую жизнь, а вчерашнее — сон, кошмар, ошибка. Пустые бутылки под кроватью. Окурки везде. Но что ни вечер, то снова ошибки. И одни и те же лица в этом хороводе, какие-то страшные недомужчины и полуженщины, которым тоже надо выпить. Где ты, неземная классическая украинская красота, где все то, что должно сопровождать элегию печальных карих очей под широко разлетевшимися «чорними» бровями, элегию этого спокойного выпуклого лба, где то, что вознесет эту красоту, где оценивающие, где стражи, где паж, где? Пьет, что принесут, курит чужие, сидя по-турецки на тахте, да еще в короткой юбке, тяжелые волосы пушатся на висках и ореолом сверкают вокруг головы. Весь быт тут. Здесь чашка ложка тарелка заварка в стакане. Чайник сковородка чемодан вешалка на гвозде, закутанная плахтой, присланной из дома, тонким покрывалом. Лампочка в абажуре из обложки журнала просвечивает сквозь красное, на окне кефир и банка с остатками сметаны, как будто со старыми белилами. За окном висит в авоське нечто в бумаге. Всё.

Зима, морозы, прекрасная Минерва с трудом после вчерашнего восстает, реанимируется к новой жизни, подруга-аспирантка давно пьет чай, собранная, в уродском свитере, пальцы желтые от курева, сигарета дымит, милая, уютная картина.

Сборы на службу, и на службе появление внезапного сокровища, Он в бороде пришел получить командировочные бумаги и деньги уже перед самолетом, какой-то национальный герой вроде статуи Минина и Пожарского. Бегают, ставят чайник, Минин уже собран, с сумкой, с коробкой, он готов, но есть еще полчасика, он дарит им свое время! Рассказывает с большим юмором о детях, об их религиозности, мальчики один весь в аквариумах и кошках, другой пишет музыку, и умер его педагог по скрипке, ужас. И о том, что одна девочка другой, маленькой, на ночь рассказывает обязательные молитвы. И о том, как живут летом в своем домике на хуторе и за шесть километров посылают мальчишек на велосипедах за молоком и яйцами в деревню, а огород свой...

Тишина, тишина, рай! Рай!

Минерва чувствует, что предназначена именно
для такой жизни, она знает это, она сидит усталая и
тихая, лицо озарено, голова вся в крупных кудрях,
мечтательно щурясь, невидяще смотрит вдаль. «Это
я, это обо мне!» — как бы молит она и знает, что Он
тоже знает это, но не судьба. Ей бы хотелось, чтобы
именно у нее были эти дети, чтобы она (дети гурь-
бой) ходила бы с ними в лес, и в храм, и по улице.
А Он бы приезжал с деньгами на жизнь, как Он сейчас приезжает...

Конторские девочки разливают чай. Он видит перед собой трогательно-женскую, классически чистую и ясную красоту, как, с каких высот спустилась
эта богиня? Целует ей с видимым чувством руку:
благоговея богомольно и т. д. и чуть ли не руки дро-
жат. Чуть ли не готов все бросить, но не бросает ничего, а уходит, и все его при нем, сумка и коробка.
Тоже красавец, они предназначены друг другу, думает она.

Он уходит, а в аэропорт он едет не один, а с одной
старшеклассницей из своего юношеского лектория,
такие пироги, она навязалась его провожать, чудо на
ножках, рот пухлый и сонные глаза, детская походка
ка волоча ноги в «луноходах», папа с мамой застав-
ляют носить из-за мороза. Ребенок есть ребенок, хотя ей уже пятнадцать, могла бы и повзрослеть, но
она знает толк в эротике и не хочет быть девушкой,
остается ребенком для своего мужчины. Сон во
всем, лень, волочит свои «луноходы», шаркает, де-
ржась за карман пальто своего учителя, рот надутый, не хочет, чтобы он уезжал. Мужчины по дороге делают стойку, принимая ее за дочь папы, не то

чтобы провожают взглядами, но скорее прячут свои нескромные глаза и образуют почетный караул плюс две секунды спустя. Девочка из хорошего дома, родители эмигрируют вот-вот, ждут разрешения, а она то ли убегала уже из дому, то ли хочет дожить до шестнадцати, получить паспорт, прописку и гражданство, остаться здесь, чтобы только не упустить его, его, свое главное достижение в жизни.

Как-то прошлым летом она к нему заявилась, улизнув с дачи, где ее стерегла бабушка, позвонила в дверь, лениво вошла, он сделал вид, что озадачен: шутливо поднявши брови, смотрел (а незадолго до того он кое-кого проводил, выпроводил одну иностранку, которая ему устроила зарубежное турне по университетам и которую он в результате угостил анекдотом, что любовник — это спонсор мужа, а эта иностранка, со знанием русского переводчица и с большими сумками через плечо, где находились ее подарки русским,— эта иностранка печально хмурилась, задумывалась и была готова уже увезти «бойфренда» в багажнике своего автомобиля в ее пустынную безоблачную жизнь, где она жила все еще одна, но он-то что-то сомневался, кивал на семью, поскольку уже переспал с настырной бабой и затосковал от этого насилия) — а вот теперь он серьезно смотрел на свою ученицу, затем проговорил «ну заходи», она зашла, прошла, куда он ее пригласил, а именно на кухню, и без памяти прижалась к нему, первая любовь, вот что. Четырнадцать лет ей было, а затем она плакала и не хотела уходить, вся была прямо в горячке, Лолита-инициатор, маленькая кокотка с добрым сердечком, в сущности, ребенок.

И вот вам красавец, и вот вам красавица, и финал такой, что красавец выгнан из дома женой с битьем морды, причем это он бил и сломал жене зуб, а произошло это потому, что жена узнала об аборте юной ученицы, ученица сама звонила с целью отбить и бесстрашно встречалась с матроной. А матроне это было на руку, у нее оказался школьный друг, который потом тут же сразу вошел в семью, надстроил над домом в деревне второй этаж, художник и золотые руки, в свою очередь жена которого с тремя детьми долго жила, это все знали, с одним еще художником-халтурщиком и богачом, и в конце концов художник-бедняк был сманен бывшей школьной любовью (женой нашего красавца) и стал строить себе мастерскую в деревне уже на основе ее семейного дома, такие дела. Все устроилось, таким образом.

Красавица же наша Минерва после одного ночного бдения оказалась тоже на грани аборта, но стойко выдержала искушение, родила девочку без мужа, и подруга встречала ее из роддома и первый месяц еще жила с ней, поддерживала после кесарева сечения, таскала ей с рынка клюкву, но потом съехала заканчивать свою личную диссертацию, не все жить чужой жизнью. Минерва же выписала тоже красавицу-мать пенсионерку из южных садов, старуха засела с девочкой, а Минерва пришла на работу слегка высохшая, классическая мраморная статуя, но теперь уже точно мраморная, ибо бескровная, известковая, зажигает одну сигарету о другую — и встречает изредка классического Минина и Пожарского с бородой, слегка с прибитой прической, который все хлопочет и судится насчет деточек, отобранных у него лихой женой (вот тебе и усталая матрона), особенно насчет младшей, все кружит вокруг родного пепелища, и в частных беседах все выступает с уклоном в воспитание детей, в супружескую верность и с уклоном в образ женщины-матери и хранительницы очага, как выступают многие сильно погулявшие мужчины и таковые же женщины в возрасте, которые наконец поняли что почем, а то раньше не понимали и развлекались кто во что горазд, жили как во сне, а теперь раз — и проснулись.

Я ЛЮБЛЮ ТЕБЯ

С течением времени все его мечты могли исполниться и он мог бы соединиться с любимой женщиной, но путь его был долог и ни к чему не привел. Единственно, что сопровождало его весь этот долгий и бесплодный путь, была журнальная картинка с фотографией любимой женщины, причем только у него на работе некоторые были в курсе того, кто сфотографирован там: ноги и ноги, и всё, довольно пухлые, босые, в босоножках на высоких каблуках: она сама сразу признала себя, и сумочку свою, и подол своего платья. Откуда она могла угадать, что фотографируют именно ее нижнюю половину, фотограф выскочил на улице и щелкнул раз и другой, а опубликовали только юбку и ноги. Он, тот человек, о котором идет речь, держал эту фотографию у себя дома над столом на кнопках, и жена ни в чем ему не перечила, хотя была строгой женщиной и повелевала всем домом, даже матерью, а затем и детьми, не говоря уже о дальних родственниках и своих учениках. Однако, с другой стороны, она была добрая, хлебосольная, щедрая хозяйка, только что детям не давала спуску, и мать при ней жила смирно, лежала на койке, читала внучатам, пока могла, наслаждалась теплом, покоем, телевизором, да и потом смиренно и долго умирала, уже почти не кивая, но затем тихо убралась.

Он же, схоронив тещу, теперь терпеливо дожидался, пока умрет жена. Почему-то он знал, что она умрет и освободит его, и готовился к этому очень активно: вел здоровый спортивный образ жизни, занимался по утрам бегом, баловался даже гирями, ел все только по системе и при этом успевал много работать и дослужился до завотделом, ездил по заграницам — и все ждал. Его избранница, хорошенькая пухлая блондинка, мечта каждого мужчины и чуть ли не Мэрилин Монро, работала у него прямо под боком и иногда выезжала с ним в командировки, и там-то и начиналась настоящая жизнь: рестораны, гостиницы, прогулки и покупки, симпозиумы и экскурсии. Как он тосковал по ночам, вернувшись из рая в ад, в теплое, небогатое гнездо, где клубилась громоздкая, неповоротливая семейная жизнь, где болели, сходили с ума и бесновались дети, мешая сосредоточиться, и их надо было усмирять, и дело доходило до ремня, после чего отец чувствовал себя еще более униженным и оскорбленным; жена сама кричала на детей, жена не успевала ничего, еле поворачивалась, в доме, как полагается в каждом порядочном семействе, жили еще кошка и собака, и кошка хрипло вопила по ночам, когда приходило ее время, а маленькая собака лаяла на каждое пришествие лифта, и именно ночами отцу этой семьи приходилось особенно несладко: он лежал в своей постели и, погружаясь в тоскливые мечты, жаждал тепла, покоя, прелести, исходящих от его незаконной подруги в период командировок,— в остальное время блондинку тоже доставала жизнь, муж и свекровь буквально садились ей на шею, свекровь заставляла по субботам скрести всю квартиру вплоть до протирки кафеля в ванной аммиачным спиртом! Муж напивался и не пускал бедную на служебные вечеринки, на дни рождения и т. п., всегда скандалил перед командировками, подозревал, они вдвоем со свекровью сжимали ее, как Сцилла и Харибда, и, кроме этого, они еще и скандалили между собой, муж и его мать. Свекровь донимала бедную блондинку, почему ее муж никогда не закусывает и вообще мало ест, даже это ей ставилось в вину! Блондинка на работе жаловалась вскользь, была потаенная и ничего не вываливала ему прямо в морду, как это делала жена. Бывают же такие женщины, думал, разметавшись на постели, одинокий муж, а за стенкой приплакивали и вскрикивали во сне его дети, мальчик и девочка, и храпела его жена-сердечница, все более старая и все более любящая. Вот уж уму непостижимо, как она, старая старуха сорока с гаком лет, его любила и ему угождала! Она-то, похоже, и вообще никогда не верила в то, что он ее любит, что этот шикарный, с седыми висками мужчина — ее муж, и вечно тушевалась и отказывалась с ним ходить куда-либо вдвоем. Шила себе платья сама по единому незатейливому фасону, длинные и мешковатые, чтобы скрыть полноту и латаные чулки, на которые вечно не хватало денег. На языке многочисленных гостей и родни это называлось «одеваться скромно и со вкусом», гости приваливали толпами на все праздники, обожали ее пироги, пышки и салаты — это были всё ее гости, ее однокашники, сверстники, родственники — они помнили ее молодой, симпатичной, с ямочками, с толстой косой и не замечали, что она уже не та, уже погасла.

Действительно, она давно уже плюнула на свою косу и ямочки, ухаживала за мужем и за матерью, следила за детьми, преданно бегала для хозяина своей жизни на базар, никуда не успевала, но приходила всюду каким-то чудом вовремя, так старалась жить по порядку — и естественным образом ночами просиживала на кухне за книгами, уложив всю семью, или прирабатывала теми же ночами на той же кухне, или готовилась к занятиям. Придя с работы, она рассказывала байки о своих студентах и иногда готовила ведро котлет и ведро каши, и к ней приходили ее ученики, приносили цветы, робко галдели, съедали абсолютно всё и тешили свою преподавательницу пением несуразных коллективных песен. Но это бывало, если господин уезжал в командировки, только так.

Когда родились дети, мальчик и девочка, то и тут первая ее мысль была о муже: его проводить с завтраком на работу, его встретить горячим обедом с работы, выслушать все, что он хочет рассказать. Был только один перерыв, когда начала умирать и в течение трех лет умирала ее мать, тут было все брошено и кое-как шло, неизвестно как, и отец семьи завтракал один тем, что ему было поставлено, и обедал тоже один, сам себе накладывал и уходил в свою комнату туча-тучей, но все же гроб нес первым, в ногах покойной, и был неотличим в своей непритворной тоске от остальных. После похорон мамашина комната стояла пустая, закрытая, не было сил, да и хозяйка тихо сопротивлялась, спала в большой комнате с детьми, вернее, сидела все так же на кухне, сон от нее ушел.

У мужа тоже, одновременно, это был тяжелый период, его любовь стала капризничать и требовать полной, независимой семейной жизни, отказывалась с ним ходить под ключ в пустую квартиру к знакомым, как он уже наловчился ее водить в обеденный перерыв, и даже пошла дальше: кокетничала с соседними комнатами и в буфете, и мужички, почуяв, что она «ослабла на передок», по выражению коллег, проторили в ее комнату тропу, и телефон звонил, и кто-то заезжал за дамой на машине и т. д. Наш муж принял муки ада, любовь и долг прогрызали его насквозь, он занял твердую и неуступчивую позицию в адрес своей подруги, хотя и иногда облегченно плакал у нее на плече, если удавалось. Что было делать! Жена при всем своем отчаянии все-таки заметила, что муж как-то подсох, что глаза его нехорошо остановились и он весь как бы улетает. Жена очнулась, быстро сделала ремонтик в материной комнате и поселилась там с детьми, а большая комната снова стала местом встреч, бесед и малых праздников, и муж выходил к гостям как отец чудных детей и глава дома (а не бездомная брошенная собака) и любимый, почитаемый в виде божества муж (а не третий с конца претендент на собачьей свадьбе). Теперь завтрак подавался ему прежде всех, было даже вдруг сшито несколько новых платьев из штапеля, по воскресеньям жена стала уводить детей в долгие походы, то в парк, то в цирк, то в планетарий. А в комнате мужа все висели над столом пухлые босые ножки под юбкой и на каблуках: он не сдавался.

Наконец грянул гром, и тот муж блондинки, наш муж, как его звала между собой незаконная парочка, совсем разошелся, разбушевался, погнался за блондинкой с топором, та заперлась в ванной до вечера, а вечером как-то ушмыгнула из дому, звонила нашему герою из автомата, он срочно убежал к ней, вернулся чуть ли не под утро, утром его опять снял с постели страшный, как все известия на рассвете, звонок: того мужа его родная мать обнаружила в петле на двери. Разумеется, следующий месяц бедная новая вдова провела в какой-то сердобольной семье друзей, к себе ее наш герой пригласить все-таки не решился, да и там, в той дружеской семье, хозяйка как-то собралась с силами и проводила вон из дому к другим людям печальную блондинку, слишком хорошенькую в своей траурной бледности, что было невыносимо наблюдать со стороны, тем более что хозяин дома начал испытывать к блондинке платонические чувства дружбы и сострадания, что гораздо более опасно, чем простая человеческая грязь, попихались-разошлись.

Не скоро, но все успокоилось, блондинка получила отдельную квартиру, кому-то пришлось по душе разоренное жилье старухи свекрови, ее уговорили поменяться со страшного места куда-то рядом с племянницей, блондинка получила подальше и похуже, но свое, и тут наш муж, наш герой, должен был решить окончательно, да или нет, и приняться за ремонт, мебель, проводку, утепление окон и т. д.

в новейшей квартире своей избранницы. Вместо этого он с удвоенной энергией стал устраиваться в собственном доме, поклеил со своими ребятами обои в большой комнате, опять принялся за зарядку, обливание и бег, стал усиленно заниматься детьми и муштровать уже их, поскольку потомство незаметно подросло и стало мешать, вот в чем дело. С блондинкой он остался в роли советника и посетителя, она все устроила сама, это заняло ее, она советовалась, показывала какие-то чертежи, и уже был на стороне кто-то, кто возил ей на машине метлахскую плитку для ванной и кухонную мебель. Блондинка кое-что смекнула и не упускала из виду никого, имея перед собой перспективу одиночества.

Картинка по-прежнему висела над столом, уже установился тот день, когда муж посещал блондинку,— он, кстати, теперь перешел в другой институт, где дали больший оклад, да и отношения в предыдущем месте работы сильно осложнились, так как блондинку нужно было двигать вверх, и она получала повышение, но не получила из-за гнева масс. Он же в знак протеста ушел и обещал ее со временем перетащить к себе, а жена ничего не поняла и облегченно сияла, и в доме был праздник, и пеклись пироги, что наконец-то муж ушел от Той, но картинка все висела.

Он ушел и хорошо устроился на новом месте работы, детки росли, спортивные, подтянутые, вымуштрованные, как это бывает, когда в семье прочно устоялся культ отца, усиливаемый обожанием и подчинением добровольно сдавшейся матери. Слово отца было закон, и они так и шли сомкнутым строем: папа впереди, дети плечом к плечу, а сзади незаметная клуша мать, руководящая семьей дистанционно. Радостно было смотреть на них, а фотография ножек тем не менее присутствовала.

Мать семейства дождалась, когда мальчик, младший, поступил в институт, и тут сдалась полностью, как и ее мать однажды. Стоя на кухне, она завалилась на глазах у всех вечером, завалилась, захрипела и хрипела трое суток, увезенная в больницу. Семья, дисциплинированная и трудовая, перегруппировалась, было установлено дежурство плюс подключились старые друзья и родня, бывшие и все еще преданные ученики, и из полной могилы, из смерти и забытья муж вытащил свою жену. Когда ее привезли домой, она уже была маленькой старушкой, шевелила только правой рукой немного, говорила что-то невнятное, и часто-частенько ее глаза источали слезы. Она как будто извинялась всем своим видом за это положение, извинялась за всю прошлую жизнь, что не могла создать своему божеству ничего и в конце вляпалась в эту историю с параличом и втянула его. С течением времени домашние привыкли к этой тяжелой лямке, хотя иногда раздражались и покрикивали друг на друга: всё же все эти подкладные судна, ежедневные обтирания, пролежни и невольные мысли о том, сколько же лет это может протянуться, такое животное или растительное существование,— эти мысли мучили. А отец как бы успокоился вдруг, его душа словно бы устоялась, все движения его вокруг жены были плавными, терпеливыми, голос мягкий. Дети еще покрикивали друг на друга и на мать, у них была своя неопределенность, они лишились матери, то есть фундамента и подпорки, и стали неоперившимися, еще слабыми родителями для своей мамы, они чувствовали, что здесь что-то не то, нет перспективы, вернее, она есть, но ужасная. Дети обвиняли друг друга, выводили на чистую воду, о горе, при матери! Но рвение их не угасало, больная у них лежала чистая, свежая, ей под ушко клали радиоприемник и иногда читали ей вслух, но все-таки она часто плакала, совершенно невпопад, и что-то пыталась сказать одними гласными, без языка.

В ночь, когда она умерла и ее увезли, муж свалился и заснул и вдруг услышал, что она тут, прилегла головой к нему на подушку и сказала: «Я люблю тебя», и он спал дальше счастливым сном и был спокоен и горд на похоронах, хотя сильно исхудал, и был честен и тверд и на поминках, уже дома, при полном собрании людей, сказал всем, что она ему сказала «я люблю тебя». И все замерли, потому что знали, что это чистая правда,— а картинки уже не было. Картинка исчезла из его жизни, все то испарилось, стало как бы неинтересным в тот момент, и он неожиданно, тут же за столом, стал показывать всем маленькие, бледные семейные фотографии жены и детей — все эти походы, в которых он не участвовал, все их развлечения, бедные, но счастливые, по паркам и планетариям, которые она устраивала детям, все ее попытки построить жизнь на том малом, что еще ей оставалось, на том островке, где она прикрывала собой детей и где надо всем возвышалась в пространстве, все заслоняя, проклятая картинка из журнала,— но ведь оно ушло, все кончилось хорошо, и фразу «я люблю тебя» она все-таки успела ему сказать — без слов, уже мертвая, но успела.

Содержание

Петрушевская, Л.

П31 Рассказы о любви / Людмила Петрушевская.— М.: АСТ: Астрель, 2011.— 317 с.

ISBN 978-5-17-071125-3 (ООО «Издательство АСТ»)
ISBN 978-5-271-32247-1 (ООО «Издательство Астрель»)

Эта книга Людмилы Петрушевской посвящена любви — вернее, она посвящена разным случаям любви, начиная от почти детской, безнадежной и вечной, и заканчивая любовью умной и мудрой, готовой ко всему, прощающей и спасительной. Писательница, судя по всему, знает множество историй, и иногда это почти что сказки со счастливым концом, а иногда они похожи на старые баллады, в которых бессмертной остается только любовь.

УДК 821.161.1
ББК 84 (2Рос = Рус) 6

ISBN 978-985-16-9552-8 (Харвест)

Литературно-художественное издание

Людмила ПЕТРУШЕВСКАЯ
рассказы о любви

В RU
F
PETRUSHEVSKAIA
LIUDMILA

Редактор *Любовь Алексеева*
Ведущий редактор *Екатерина Серебрякова*
Художественный редактор *Юлия Межова*
Технический редактор *Валентина Беляева*
Верстка *Ольги Савельевой*
Корректор *Валентина Леснова*

ООО «Издательство АСТ»
141100, Россия, Московская область,
г. Щелково, ул. Заречная, д. 96
Наши электронные адреса: WWW.AST.RU
E-mail: astpub@aha.ru

ООО «Издательство Астрель»
129085, Москва, проезд Ольминского, 3а

«Отпечатано в соответствии с предоставленными материалами
О «ИПК Парето-Принт», г. Тверь, www.pareto-print.ru

участии ООО «Харвест». ЛИ № 02330/0494377 от 16.03.2009.
ларусь, 220013, Минск, ул. Кульман, д. 1, корп. 3, эт. 4, к. 42.
E-mail редакции: harvest@anitex.by

ОАО «Полиграфкомбинат им. Я. Коласа».
ЛП № 02330/0150496 от 11.03.2009.
Республика Беларусь, 220600, Минск, ул. Красная, 23.

I SUPPORT VFW